子どもを迎えるまでの物語

生殖、不妊治療、親になる選択

CONTENTS

この本に出てくる主な生殖補助医療

タイミング法	排卵期に合わせて性交を行う方法。薬を併用する場合もある。
シリンジ法（自己授精）	採取した男性の精液を、注射器のシリンジ部分にうつし、女性の膣内に挿入する方法。
人工授精	排卵期に合わせて、採取した男性の精液を特殊な機械で洗浄したうえで、精子を女性の子宮の中に人工的に注入する方法。薬を併用する場合もある。
体外受精（IVF）	女性の周期のホルモンの抑制を行ったうえで採卵を行い、採取した男性の精子とシャーレの上で受精させ、胚（受精卵）を子宮に戻す方法。顕微授精との区別で日本では「ふりかけ法」とも呼ばれるが、本書では原文通り体外受精と呼ぶ。
顕微授精（ICSI）	体外受精の方法の一つ。本書内では卵細胞質内精子注入法とも呼ばれる。英語名の頭文字をとり、ICSIとも呼ばれる。男性不妊の治療法として使われる。成熟した卵子の周囲にある卵丘細胞という不透明な塊を除去し、最も形態と運動性の優れた精子を一個選び卵子の中に注入する。本書では、顕微授精と体外受精を区別する箇所と、単純に両者を体外受精と呼ぶ箇所が存在するが、原文の表記に忠実に訳出した。

The Art of Waiting

第一章 ✤ 待つことの技術

私が子どもを産むことはないかもしれない、と気づいたのは春だった。ちょうど十三年の周期ゼミ[1]が大発生していて、セミは均整のとれた丸い穴から地面へ出てきて、幼虫の殻を脱ぎ捨て、羽を伸ばし樹上へ飛び立ち、繁殖というただ一つの目的のために、そこら中で鳴いていた。ほぼ全域が野生動物の保護地区である私の住む森では、オスのセミの求愛の歌である、しゅーっと空気を震わせる終わりのないハミングが、遠くからも近くからも聞こえてきて、まるで貝殻の中で

1 北米で十三年または十七年の周期で大量発生するセミ。

暮らしているような気持ちになった。

川辺ではセミの鳴き声はもっとうるさくなって、透明でべっ甲色をした、軽くて不気味な抜け殻が、毎日散歩する私の足の下でしゃりしゃりと音を立てた。向こう岸の、背の高いひょろりとした松の木のてっぺん近くに作られた巣では、ハゲワシたちが入れ替わりで二羽の雛の世話をしていた。孵化したばかりの子亀や子蛇にアヒルの雛が川面に姿を現した。私の両親の家のポーチでは、三匹の野良猫が立て続けに子猫を産んだ。ニュース番組では、「奇跡の妊娠。十一歳のメスのゴリラ、ジャマニが出産予定。ノースカロライナ動物園では過去二十二年間で初めてのゴリラの妊娠」と報じていた。

五月、私はかかりつけの不妊治療医のクリニックを訪ね、コンクリートとスチールからなる病院施設周辺は奇妙なまでに音がしないことに気がついた。風が通り抜けたりセミが生息したりするような高い木もなく、駐車場から続く歩道橋を渡る人は皆、診察の予約に遅れまいと早歩きでうつむいていた。待合室で、私は鉢植えのイチジクの葉の表面を爪で触り、本物であることを確かめた。緑で、生きている。

待合室には、雑誌はほとんど置かれていなかった。郵便の宛名ラベルが剥がれかけた数年前の

『ニューヨーカー』が数冊と、身構えてしまいそうな題名の学術誌『生殖と不妊』の分厚い束が置いてある。学術誌の表紙は、アカゲザルの子どもが白いタオルにくるまれ、姿の見えない人の手によってしっかりと抱えられている小さな正方形の写真だった。サルは、はっとした表情で暗い色をした目を見開き、口は驚いたように小さなピンクの楕円を描いていた。不妊治療の混乱と不安の只中にいる女性に見せるものとして、赤ちゃんザルがふさわしいとはあまり思えなかった。**そもそも、エコー写真の不思議な灰色の斑点みたいなものって何なの？** けれど、自分の診察まであとどれくらいかかるかもわからないので、学術誌に手を伸ばした。ページをめくっていると、同じサルとそのきょうだい達の写った別の写真と、人間と人間以外の類人猿が放射線にさらされた際の生殖細胞の凍結保存という関連記事を見つけた。表紙のサルの母親は他のサル二十匹と一緒に、被験薬を与えられ、がん治療中の女性が受けるのと同じ種類の放射線を受けていた。別のページには、ネズミの精巣細胞、ラットの腹膜癒着、そしてヒヒの体外受精に関する研究を見つけた。

もちろん、この研究は動物ではなく人間の不妊について調べることを目的としている。人間以外の動物は、繁殖を犠牲にしてまで放射線治療を受けたりはしないし、私のように経口避妊《ピル》薬を何年も服用し繁殖を先延ばしにもしない。繁殖をし、子孫が性的に成熟するまで確実に育てることは、動物にとっては生物学上の義務なのだ。種の繁栄がかかっており、そのために種という種において、オスとメスのどちらもが命すらも犠牲にするのを私たちは知っている。けれど、より複雑な生殖器官を持つ種、つまり遺伝子的により人間に近い動物には、不妊、ホルモンバランスの乱れ、子宮内膜症、繁殖を抑える例が見られると、科学者たちは詳細に記録している。**動物はどうしてるんだろう？**　写真のアカゲザルの赤ちゃんの、母性をくすぐるような丸く見開かれた目を見つめながら私は考える。動物は、不妊や親になれないことに対して、私たちよりもっとうまく、もしくは違うやり方で対処するのだろうか？

　自分の名前が呼ばれ、初めて会う医者に卵巣の超音波検査をされる。私は、川辺の散歩で見つけた四つ葉のクローバーがたくさん挟まれている白紙の手帳にメモを取る。**卵胞二つ？　三つ？成功率は十五％から十八％。**

　帰り際、サルが表紙の学術誌をくすねる。家に戻り、枝をすっかり伸ばしたオークとヒッコリーの木の下で車のドアを開けると、離れていた分さらにうるさく音が押し寄せてくる。セミの声。無数のオスのセミが、伴侶を見つけるために発音筋を収縮させている。テネシー州では、あまりに鳴き声がうるさく、機械の操作音だと勘違いした男性が苦情を言うために９１１に通報していた。

数日後、私はノースカロライナ動物園を訪れた。ジャマニという妊娠中のゴリラは、妊娠の発表があってから、彼女を見に来る来園者が増えたことには気づいていない様子だ。ジャマニが居住区を共有するのは、アカシアという、群れでの地位が優位者である比較的小柄な十六歳のメスと、ンコジという二十歳で百八十六キロのオスだ。飼育下のローランドゴリラの繁殖は、個体間に多様な遺伝子が保たれるように、種の保存計画（Species Survival Plan）というプログラムに基づき管理されている。大人のメスのゴリラには、遺伝子検査でオスとの繁殖が望ましいとわかるまで、人間が服用するのと同じ種類のピルが与えられるのだ。妊娠が許されたとしても、飼育下のゴリラが妊娠するには何か月または何年もかかることもある。まったく妊娠しない個体もいる。

長きにわたり人間は動物に対して、ある種は交尾をさせ、別の種には去勢手術をするなど、さまざまな形で避妊や生殖に関する医療行為を強制的に行ってきた。近年には、ジャイアントパンダやローランドゴリラなどの絶滅の危機に瀕した動物に、高度な不妊治療を行っている。こうした施策は、ハイテクでも、ローテクでも、人間が自分の生殖活動を管理するのと同じくらい当たり前となってきているように見える。私たちは、飼っている猫や犬に去勢や避妊手術を受けさせる際には責任を感じるし、地元の動物園が、運と科学の賜物である動物の赤ちゃんの写真を公開すれば誇らしく思う。

ジャマニがンコジとの繁殖を勧められた後、ジャマニとアカシアはともに、二〇一〇年にノースカロライナ動物園にやってきた。その方法は、単純に彼らを同じ居住区に住まわせるというものだった。動物園の職員は、ドラッグストアで買えるような妊娠検査薬で、ジャマニの妊娠を確認した。

　私はアーロン・ジェスーという飼育員に、ジャマニとアカシアのどちらかはジャマニの妊娠を理解している様子か、アーロンや他の飼育員が気づいた行動の変化はあるか、という質問をした。けれど、今の時点で変わったところは、ゴリラの展示への来園者数が増えたことと、出産に備えるための科学者と飼育員による話し合いが増えたことだけだそうだ。「ジャマニは今も従順なメスです」とジェスーは言う。「その性質が変わらないかどうかは、いずれわかるでしょう」

　多くの不妊症の女性が、不妊の一番嫌な部分は妊婦に感じる嫉妬だと言う。妊娠を試みる（そして上手く行かない）間、妊婦はそこら中にいるように見えるのだ。家から一時間ほどの病院の地下で開催されている、私が参加している不妊症のピアサポートグループ［当事者がメインの支援グループ］では、嫉妬や些細なことに傷ついた経験が会話の糸口になることが多い。

「赤ちゃんや子どもはいいけど、妊婦は嫌い」と、バランスの取れた茶髪のボブカットで、こざっぱりした綺麗な女性が言う。「嫌いだし、なんてひどいことを言うのと思われても構わない」
そこで、私たちはしばらくその話を続ける。頻繁に妊娠中の記録を投稿するFacebook上の友だちを削除したり、ベビーシャワー[2]や子どもの誕生日会を避けたりすること。友人や親戚が、増え続ける家族を育てるという仕事をこなす中で、自分は取り残され置いてきぼりになるという恐れについて、私たちは話し合った。

家族を社会的に独立した単位として見るのは、人間に限ったことではない。野生では乳児は餌の取り合いを意味するので、同じ種の個体から自分の赤子を隠し守ることが母親の役目となるのは珍しくない。動物学者のジェーン・グドールは、チンパンジーの母親が、自分の赤子の生後五か月間は、きょうだいではない他のチンパンジーとは絶対に接触させないという観察を残している。赤子が近くのチンパンジーに手を伸ばすと、その手を引き離すのだ。

マーモセットの群れでは、妊娠したメスの存在が他の個体の不妊を引き起こすこともある。ただしそれは孤立を引き起こすものでなく、さらなる協力を生む。マーモセットは南米のサルで、繁殖の抑制を行う。一般的に、繁殖グループの中で上の順位のメス一頭のみが交尾を行い、他の

2 友人や親族などが集まり出産前に育児用品などをプレゼントする会。

個体にチャンスが回る前に何度も出産を繰り返す。これは、一部のメスが交尾をしないことで実現され、それらの個体が「服従」を認識することで特殊な神経内分泌反応が起き、ピルのように卵巣内の卵胞発達と排卵が妨げられる。一部の個体は、一度もチャンスのないまま服従を続け、交尾をしないグループに一生属することになる。

マーモセットは熱帯雨林の上層に巣を作り、三頭から十五頭ほどの群れで生活し、蜘蛛、昆虫、そして小型の脊椎動物を食べている。平和な共同生活を送るマーモセットだけれど、中でも乳児の世話に関しては特筆すべきものがある。群れで生後五か月以上ならば、オスもメスも群れの地位が上でも下でも全個体が育児に参加し、〔群れでの地位が一番上の個体である〕優位者のメスも、自分の子が生まれたその日から、群れのメンバーに子を抱くことを許す。マーモセットは、通常双子を産むが、母親が子の世話をしてくれる個体に依存する種だからこそ、行動とホルモンの面で繁殖を抑制するのではないかと、科学者たちは推測している。この抑制現象は、野生と飼育下の両方で発生する。

まれに、〔群れでの地位が下の個体である〕劣位者のメスが交尾、出産することもあるが、その乳児の生存率は低くなる。理由の一つには、子殺しの習わしがあり、これは野生で複数回観察されている（単純に小さな赤子が消えてしまうことは、もっと頻繁に起きている）。子殺しが起きる最も一般的な状況は、優位者のメスが妊娠中に劣位者のメスが出産した場合で、しばしば優位者のメスが攻撃者となる。こうした仕組みは、その明らかな残虐性にも関わらず、マーモセットの群れの中の関係や協同を弱めているようには見えない。

時にはあまりにも広範囲で協力し合うので、どのメスが生物学上の母であるか把握するのが研究者にとって困難となる。一九九一年に、ブラジルで〔進化人類学者の〕レズリー・ディグビーが、二頭の大人のメスが同じ週に双子を出産したと記録している。一か月も経たないうちに、乳児のうち二頭が消えてしまったけれど、両方の母親が生き残った赤子を世話し続けていたため、どちらのメスが生物学上の母なのか、それとも「消えてしまった子どもたちが、同じ親から生まれた子たちだったのかすら」見極めるのは不可能だったと、ディグビーの報告には書かれている。

人間と同じように、動物の世界は優しさと残酷さと苦しみが矛盾し合う例に満ちているし、それはしばしば繁殖のために行われている。メスのクロゴケグモは、複雑で繊細な交尾の踊りの後に、伴侶を貪る。ハクトウワシの親は、一生つがいで子育ての責任を分かち合うけれど、最も強い子がきょうだいを殺すのを、時には平然と傍観する。タイヘイヨウサケは、何千キロも海を泳いだ一生の終わりに、自分の生まれた川を上り産卵し、その後淡水で体が腐敗する。動物は、繁殖するためにどんなことでも行うのだ。

人間にとって、**どんなことでもする**というのは体外受精（ＩＶＦ）を指すようになってきた。これは一九七〇年代に開発された治療法で、女性の月経周期のホルモンの抑制を行い、卵子を採取し受精させ、胚となったものを子宮に戻すというものである。世界中で五百万人以上の赤ちゃんが体外受精を通じて生まれており、数十億ドル産業となっている。

「**試験管ベビー**って」不妊症のピアサポート会合で、ある女性が言う。彼女は若いＥＲの医師で、自宅で［シリンジ法による］授精を五回試みており、体外受精への移行を検討している。「この言葉がすごく嫌いで。赤ちゃん。それだけのことなのに」そう語る彼女は、不妊のストレスと孤独について他七名の女性と話すために、百十二キロの距離を運転してきている。

不妊治療クリニックでは、医師や検査技師の行うことを生殖補助医療（Assisted Reproductive Technology）の頭文字のＡＲＴ《アート》と呼び、「試験管ベビー」や「実験室で作られた人間」みたいな印象を和らげている。芸術《アート》は人間的で社会的で、人を脅かすものではない。芸術は、クローンや複製を作るのではなく、創造することである。値が付けられない不朽のもので、人を癒やしてくれるものとしてしばしば語られる。芸術に多額の資金を費やすことは決して稀ではない。投資なのだから。

ＡＲＴを芸術になぞらえるこうした考え方すべては、自分がそのことをじっくり考えていようがいまいが、慰めとなる。時には苦しくて情けなく感じる不妊という状態を、治療すること自体が慰めになるみたいに。女性にとって不妊治療とは、卵子と、受精卵が着床できるようなしっかりとした子宮内膜が作られるよう、自身の体を育むことだ。カフェインやアルコールを断ちクロミッドやフェマーラを飲んだり、ゴナールエフやｈＣＧ〔ヒト絨毛性ゴナドトロピン〕を自分で注射したり、体温と頸管粘液を特殊なカレンダーで計測したりと、女性がひと月に行う行動はすべて本質的には母性がなせるもので、繰り返し行われ、自己犠牲を伴う。ネットの掲示板には女性たちが集まり、クロミッドの周期や人工授精や体外受精の周期について語り合い、生殖の過程で登場する臓器や細胞をあだ名で呼び合う。卵胞《フォリクル》は「フォリー」、胚《エンブリオ》は「エンビー」、そして、体外受精の治療サイクルで使用されなかったものの、将来の治療のために凍結保存される胚は、「スノーベビー」という具合だ。治療中の女性に頻繁に行われる超音波検査は、卵胞や子宮内膜組織の発育状況を検査するものだけれど、妊娠初期の妊婦への超音波検査と変わらない。そこにはプローブがあり、画面があり、何か育っているものがある。

そしていつも、もっと何かできることがあるし、他にも何か試せることがある。ＡＲＴのクリニックでは、あっという間に検査や薬や処置に何万ドルもかかってしまう。どうして妊娠できないのか考え始めた頃、私はせいぜい本を読んで体温を測るくらいしかやらないと言っていた。その次は、薬までと決めた。薬は飲んでもそれ以上のことはしないつもりだった。その次は、比較的安価でローテクな処置で麻酔がいらない人工授精だった。ピアサポートグループの女性たち、中座して病院のトイレで注射を打つ女性たちに比べたら、私なんてライト級だ。皆が投薬や処置の話をしている間、何の話かまったくわからないことがよくあったし、毎月参加している理由の一つは、彼女らの怖い話を聞くためだった。自分をその過程から切り離したかったし、諦めた場合には自分がどんなことを経験しなくて済むのか知っておきたかった。

けれど、三年間の試みの後には、諦めるのは難しかった。この惑星のためには（たとえわずかでも）諦めた方が良いし、作家である自分にとっても、ある意味その方が良いとわかっていた。間違いなく、諦めることの方が経済的な道理にかなっている。この手の決断を、白か黒か、正しいか間違いかでしか考えられなかった二十代の頃の私ならきっと、不必要な治療に何千ドルも払うなんて自分勝手で無駄なことだと思っていただろう。むしろ若い頃の自分は、そのお金を孤児院や小児病院などに寄付しろと主張していただろう。養子を迎える方が良い、とか。

三十四歳になった私は、倹約による限られた貯えを持ち、養子縁組の難しさも知っていて、自分の体が機能すべき方法で機能して欲しいとどうしようもないくらい願っている。

不妊のプレッシャーと挫折感の大部分は、妊娠が普通で自然で健康なもので、不妊は稀で不自然で自分の何かがおかしいという考え方から来ている。大抵は予想できる問題ではないのに。とても若い頃から私たちは、妊娠はいつか起きることだと、注意を促され、同時に約束もされる。ピアサポートグループでは誰かがいつも、「自分がここに居ることに驚いている」と言う。

私の両親は二十代の初めに結婚し、田舎に移って農場に住み家族を育てた。両親が私を授かるまでに十三か月かかり、母は、待っていた数か月の間、何年も飲んでいたピルによって自分がだめになったのではないかと考えていたと言う。母は、「だめになる」という言い方をした。まるで彼女の機能している残りの体の部分や、強い背中、器用な手先、頭の回転の速さはどうでも良かったみたいに。

私も母と同じくらい早くに結婚したものの、二十六歳で、すぐに子どもを持とうとは夢にも思わなかった。結婚一年目の頃、ブルックリンで小学校準備クラスの生徒たちに文章の書き方のワークショップをしていた。その年の初めに、生徒たちがノートに書き込んでいる間、大きな紙に自分の寝室の図を描き、物の名前を書いたのを覚えている。ダニエルという賢くて人を惹きつける五歳児が、私のベッドの絵を指さした。「どうして枕が**二つ**あるの？」と彼は尋ねた。「一つは私ので、もう一つは夫のだよ」と私は言った。彼は、はっと息をのんだ。「子どもを産んでしょ！」私は笑って首を振り、「子どもを産むには早すぎるよ」と言った。保護者と教師の懇親会で、ダニエルの両親が私より年下だと気がついた。

　三年後、ノースカロライナ州で自分が受け持つ五年生のグループに講演してもらうために、保健師を招待した。講演のテーマは「変化していく体」で、くすくす笑いは確かに起きていた。けれど、たまたま盲目だった保健師の女性が美しく優しい話し方だったので、それが話に静かな真剣さを与えた。彼女が顔をしっかりと上げていたため、講演は祈りの雰囲気をまとっていたし、彼女は膣と子宮のプラスチックの解剖模型をうやうやしく扱った。「あなたがたの体は奇跡です」と男女別に分かれた集まりで女生徒たちに言った。「あなたがたの体は赤ちゃんを生むために作られています。それが月経の理由であり、体がこれから変化を体験する理由です」

「皆の脳も奇跡だよ」と私は彼女たちに後で言った。「子宮よりも大きな奇跡だよ。欲しくなければ、赤ちゃんを産む必要もないしね」けれど私の言葉は、保健師の高貴な宣言と並んでは弱々しく、威厳がなさそうに響いた。

　生徒たちが、男子も女子も同じように、幼稚園児から高校の最高学年の子まで、いつか自分が授かる子どもについて話していると、私はいつも驚いてしまう。「私の子どもはあんなことしないよ」と、遠足で言うことを聞かないクラスに呆れながら言ってみせる。もしくは、心配そうに「私が産むのは全員男の子だと思う。皆男の子だったら、私どうしよう」と。生徒たちにとって、自分が授かるかもしれない子どもを想像することの方が、就くかもしれない仕事や、住むかもしれない土地を想像するよりも、もっと当たり前のことのようだった。

　もしかしたら、私は驚くべきではないのかもしれない。もしかしたら、自分たちを親として想像するのは生物学的な衝動の表れだけでなく、自分たちの生活の範囲や、自分たちが何者で、どんな人間になるのかを理解するうえで重要なことなのかもしれない。何年もの間、私は、**まだ出産をしていないのだから**と自分に対して言い聞かせることで、老いと死への恐れに折り合いを付けてきた。夫が隣にいて両親が孫との対面を待っている瞬間をはっきりと想像できたし、それがまだ現実に起きていないという事実（いつも、少なくとも九か月は先だ）は、まだ始まっていない人生の新しいステージがある、という励みになっていた。いつ頃から、子どもがいるかを他の人に聞かれるようになったかは覚えていない。ここ数年だと思う。「まだです」と、いつも私は答える。

　ティリー・オルセン[3]の画期的なフェミニズムの書籍『沈黙』の中で「女性の破滅」と題された

3 アメリカの社会運動家、フェミニスト。『沈黙』は一九七八年に発表された。

章には、仕事と子どもの間で多くの女性作家が取った選択について書かれている。オルセンは、二〇世紀になるまで「子どもを持つという苦悩や渇望は、表現活動に入り込むことはなく、私的な日記や手紙の中にだけ存在していた」と書いている。特に彼女の選んだヴァージニア・ウルフ［イギリスの小説家、評論家］の日記の率直さと苦しみには、並々ならないものがある。ウルフは子どもを持つことはなく、喪失という考えと十年以上も戦い、こう書いている。

> すべての悪魔が姿を現した。重く黒いやつだ。二十九歳で未婚。落伍者。子なし。狂ってもいるし、作家でもない。

ウルフは、妊娠と出産ができなかったことと芸術面の挫折を一緒くたにしているようだけれど、このわずか二年後に最初の小説を書き上げている。三十代でやはり子どもはいないものの、『ダロウェイ夫人』を執筆するほんの数年前に、彼女は再び「子どもがいないこと」と「うまく書けないこと」を同じ文の中に書いている。四十四歳のときに彼女は、芸術家兼母として暮らす自分の姉を観察して感じた恐怖について書いている。

波が起きるのを見せて。私は見る。ヴァネッサ。子どもたち。挫折。そう。挫折。挫折。
波が起きる。

執筆活動を「碇《いかり》」として受け入れて初めて、ウルフは自分に子どもがいないことを心から受け入れる。

私は親としての自分を作品で表現できる。それは本当だ。おそらくその感情を本能的に殺してしまったのだろう。もしくは自然が殺したのだろう。

私たちは若い頃のかなりの期間、親になった自分を想像しながら暮らすので、とても強い人々ですら、親になれなかった肉体に自分がどんな人間か定義させていても驚きはない。けれど人生は、私たちに他にもやるべきことを与え、不具合のある体の一部に自分がどんな人間かを決めさせるなと言う。悲しみの感情は弱まっていく。私たちは、自分の選択肢を考え抜き、選ぶ。私たちは働き、旅をし、成功できる他の方法を見つける。『波』の完成後、四十八歳のウルフは、よく書けたことから来る陶酔の感情についてこう書いている。

これに比べたら、子どもは何でもない。

私はヴァージニア・ウルフではないけれど、時々、かなり頑張って執筆した後や、一人で幸せな時間を過ごした後に、そういう風に感じたことがある。ぞくぞくして、ドラッグをやったときや、自転車で急な坂をくだるときみたいな感じだ。多分、新米の母親が自分の子を見つめながら感じる気持ちとそう違わないのだろう。急に自分の時間、プライバシーや自由を守りたくなり、**まだだ**、と私は思った。

あるとき、父に聞いたことがある。「子どもを持つと、自分の夢が潰されるのって本当かな？」と。父は少しの間考えた。「うん」父は言う。「それに、お金も全部持ってかれるね」

ノースカロライナ動物園のFacebookページに、ジャマニの飼育員が最新の超音波検査の動画を投稿していた。屋内の一室にいるジャマニは、慣れた様子で、飼育員と彼女を隔てるスチールの格子をしっかりつかみ、直立していた。ジャマニのお腹には、格子の小さな隙間から飼育員の手が届くようになっている。人間とゴリラは非常に近い種であるため、職員たちは病院用のマスクをし、自分たちとジャマニをウィルスから保護していた。

「手を挙げて。手を挙げて」飼育員の一人が、トレーニング用の音を鳴らす道具をカチカチ鳴らしながら言う。その間別の飼育員が、野菜がのった大皿から給餌する。ジャマニは挙げた手を動かしはしないけれど、飼育員は「おなか」と命令を数秒ごとに繰り返す。彼女は命令をよく聞くことを褒められ、Facebookで見かける人間の超音波検査とそう変わらない赤ちゃんの白黒の画像が、動物の検査技師のノートパソコンの画面に映る。私はこの動画を十回は見て、ジャマニの表情から、状況を理解している兆候が見られないか観察した。

「すごく素敵！」リンクの下に、ある投稿者がコメントしている。

「元気そう」別の人が言う。

「赤ちゃんは、この時点でもう可愛い子ちゃんだなあ」さらに別の人が書く。

　診察の撮影中、屋外の居住区で待ちながら、子どものいないアカシアは、地べたに座ってレタスかニンジンをむしゃむしゃ食べているのだろう。ジャマニに対する騒ぎにも無関心のまま、これからやって来る騒ぎにも気づかないまま。メディアや獣医や国中の動物園から注目される理由の一つは、飼育下のゴリラの妊娠が希少で不確実なものだからだ。二〇一〇年に、米国内の動物園で記録されたゴリラの出産成功例は、たった六件だった。そして乳児が健康に生まれたとしても、母親が子を拒絶する可能性もあるのだ。もしこうした事態が起きた場合、ジャマニの飼育員は、アカシアに代理母として引き継がせることを計画している。その間、アカシアは定期的にンコジと交尾をしている。しかし、二〇〇一年からアカシアはピルを投与されており、ゴリラの種の保存計画によって彼女とンコジの適合性が認められるまで、避妊は続けられる。彼女が妊娠することはないかもしれない。けれど飼育員によれば、彼女は満足そうに見えるそうだ。

　人間以外の動物は、短気を起こさずに期限もないまま待つし、それが彼らの平静の秘密だと私は思う。人生の半分以上、生殖機能は成熟しながら、アカシアは自分が待っていることを知らないまま、待っている。新たに孵化したセミの幼虫たちは、地中で次の十三年を待つ。交尾を辞退し、成熟した卵胞を生成できない卵巣を持つ劣位者のマーモセットも待ち続ける——もしかしたら永遠に。

　不妊の女性は、問診票や診察の予約や処方せんや妊娠検査薬によって区切られた、過ぎゆく年月に気づいているけれど、私たちは動物と違い、繁殖とは結び付かない自分自身の感覚を持ち、新たな存在意義の可能性を意識的に見出すことができる。それはやがて、ウルフが述べたようにやって来るのだと思うけれど、その境地がいつか訪れることを知り、不妊が自然で、ことによると有益な現象なのだと理解することは、ある程度心に平穏をもたらしてくれる。マーモセットの群れは、繁殖を抑制した世話役のメスなしに存続できないだろう。もしヴァージニア・ウルフが母親だったならば、私たちには『ダロウェイ夫人』も、『灯台へ』も『自分だけの部屋』も『波』も与えられなかったかもしれない。

セミたちは五月の終わりに鳴かなくなる。成虫は死んでしまった。他の動物に捕食されたか、繁殖の狂乱に疲れ果てたのだろう。その羽は、幼虫を守り育む地面の上に散らばっている。

その静けさに、初めは驚く――毎朝外に出る度に、貝がらみたいな音が聞こえるものだと思っているから――でも、ほっとしてもいる。私は別の波を待つ。

Baby Fever

第2章 ベビーフィーバー

コーエン兄弟の監督作品である映画『赤ちゃん泥棒（Raising Arizona）』の冒頭シーンで、女性警察官である妻エドの厳しい愛のおかげでまあまあ改心した軽犯罪の前科者ハイは、妻の赤ん坊への熱望が私利私欲のない気持ちから生まれていることを、「二人だけでは持て余すほどの愛と美しさがあるからだ」と説明する。ハイのナレーションが、息をのむような砂漠の夕焼けを楽しむ二人のショットに重なる。

「子どもだって、一日でも早く生まれたがっているかもしれない」と二人は何度も挑戦し、エドは、まる顔、可愛い顔、笑顔に泣き顔など、待望の赤ちゃんの写真を自宅であるトレーラー中に貼る。しばらくして、エドの子宮が「不安定な場所」で、ハイの「精子が彼女の中で生きられない」という、二人が怖れ始めていた事実が医師から告げられる。ハイの過去を調査した後、養子縁組あっせん機関は当然ながら二人の申請を却下し、二人は塞ぎ込む。エドは職を失い自分で服も着られないほどで、ハイの言葉を借りれば、生活に「活力」がなくなり、トレーラーは荒れ果ててしまう。そこで二人は、未塗装家具の量販店チェーンの裕福な社長の元に生まれた五つ子の一人、ネイサン・ジュニアを誘拐するのだった。

リチャードと私は結婚する前、面白くて優しくてどたばた劇がある『赤ちゃん泥棒』は二人の一番好きな映画だね、と言い合った。二人とも映画のほとんどの台詞をそらで言えたし、ロサンゼルスに住んでいた年のハロウィンには、ハイとエドの仮装をした。靴の空き箱のどこかに、アロハシャツを着て頭からストッキングをかぶり、小脇にオムツを抱えたリチャードと、警官の制服を着て、赤ちゃんの人形を抱っこした私の写真があるはずだ。スーパーヒーローやストリッパーのようなハロウィンの仮装で溢れかえる大通り、サンタモニカ・ブルバードで私たちの仮装に気づいてくれる人はほとんどいなかったけれど、構わなかった。二人の登場人物に、自分たちに似た何かを見たのだ——二人の置かれた状況そのものではなく、外の世界との関わり方や、お互いに対する純粋で献身的な愛情、という二人のあり方そのものに対して。リチャードは、ハイみたいに自分の考えを正確に言葉にできて、無表情で、恋にのぼせていた。私はどちらかと言えばエドみたいに、規則に潔癖にこだわるタイプだった。

　私とリチャードが子どもを授かれるか試みるまで、何年もかかった。何年も経ちすぎていたせいか、最初に不妊を疑ったときには、仮装のことも、大好きな映画の軸になっていた問題のことも忘れていた。他にも考えなければいけないことがあり過ぎたのだ。高額な不妊治療の費用をどう支払うのか、いつが治療の「やめどき」なのか、養子や里子を迎えるのか、それだってどうやって支払うのか。ようやく、私たちがハイとエドとのさらなる共通点に気づいたとき――指摘したのはリチャードだった――悲痛というよりは避けがたい運命のように感じられた。何かを強く望んでいるのに手に入れられない人とは、こういうことなのか。私たちがその一組だったなんてびっくりした。

　私の熱望はエドとは違った形で現れた。ピルを飲むのをやめて数か月経ってから、出血のしみを拭き取りながら**妊娠したに違いない**と考えていたのを覚えている（周期後半での出血は胚が着床したしるしだと、どこかで読んだのだ）。その瞬間、自分がまだ成し遂げていないことに思いを巡らせ、パニックになった。本の出版、キャリアを伸ばすこと、旅行。実際には、出血は妊娠ではなく不妊の兆候を示すもので、ピルを飲んでいた何周期もの間は隠れていただけだった。それから一年後、私たちは病院に行った。その頃には、赤ちゃんの写真を貼る代わりに、生殖補助医療、養子縁組や里子についてのウェブサイトをブックマークしていた。基礎体温で悩んだり、涙もろくなる薬を飲み、成功の可能性がわずかな治療法にお金を払ったりしていた。もし誰かが「五年のうちに、あなたは子を授かるでしょう」と教えてでもくれたら、五年待つのも構わなかっただろう。むしろ、その五年をありがたく思い、他の目標に向かって忙しくしていたと思う。

　でも、そんなことを言ってくれる人はいなかった。不妊にまつわる問題は、忍耐強く穏やかに待つことでも、単純に計画が遅れることでもない。多くの人にとって不妊は、懸命な努力、膨大な費用、そして打ち砕かれるような喪失感、という文脈の中で起きる。挑戦しては失敗を重ねる、五年あるいは八年、十年という年月が、あらゆる自信や、良い結果を期待する気持ちをすり減らす。

　私たちは、最初の治療法を二年で止めたけれど、あの頃が今までで一番きつい時期だった。それでも、失敗に終わった治療サイクルへの悲しみよりも、投薬と毎月がっかりしていたのが終わることへの安堵の方が大きかった。子どものいないことのメリットもあると、しばらく自分を慰めていた。創作のための助成金も貰えることになり、教職の勤務時間を減らした。小説を半分書き上げ、もう一本別の小説は完成させた。デューク大学の進化生物学の講義を聴講し、鳥やその他の生物の自己犠牲を伴う求愛や交尾行動の驚くような例について、熱っぽくノートを取った。

オスのセアオマイコドリは、求愛のダンスをメスの前で初めて披露するまでに、八年から九年ほど練習をする。長い尾を持つオスのツバメは、捕食動物により捕獲されやすくなるけれど、よりメスを惹きつける。セアカゴケグモは子孫繁栄に余念がなく、メスと幼虫にさらに栄養分を与えるために、オスは交尾の直後にその身をメスの口の中へと投げ出す。

自分は運が良いと思いたかった――自由で、盲目的な本能に妨げられることもない人間なのだから。子どもはいないけれど、私は月曜の朝から四十八キロ先まで運転し、講義を聴講して感嘆符が散りばめられたノートを取って、新しい知識が自分の脳に入って行く心地よい新鮮さを味わうことができる。

それでも、ネイサン・ジュニアを誘拐する前のエドみたいな気持ちになる日もあった。希望を失くし、孤独で、渇望で胸がいっぱいだった。「自分じゃないみたい」とリチャードに言ったのを覚えている。もっと正確にいうならば、自分が真っ二つに裂かれてしまったような気持ちだった。なりたかった自分が自分から引き離されて、今までと同じ自分だけが残った。

初期の進化心理学者であるエドワード・ウェスターマークは、一八九一年に発表された著書『人類婚姻史』の中で、人間は普遍的に「子をもうける本能」を持つと提唱している。性科学者のハヴロック・エリスはこれを一蹴し、そうした本能は性的衝動を通して現れるもので、自然は生殖への原動力を二つも必要としない、ウェスターマークの考えは冗長であり、冗長であるものは進化の過程では稀にしか見られないと主張している。ウェスターマークは、後にこの本の改訂版から、この主張を削除している。

繁殖への欲求が人間に生まれつき存在するかどうかは、科学者の間で今も議論されている。さらに近年では「人間は遺伝的に性的関係を求める傾向がある」と、著名な産科医で生殖科学者のマルコム・ポッツが述べている。ポッツは「性行為は望むけれど子どもは望まないという人は多数見つけられるものの、ヘテロセクシュアルで、子どもは望むけれど性行為を望まないグループは目立っては存在しない」とも述べている（ロマンチックさの欠片もないタイミング法に疲れてしまった不妊症のカップルが当てはまると私は考えているけれど、多分カウントされないのだろう）。人間は、疑いようもなくセックスによって動かされている。女性が妊娠しやすい時期でなくてもセックスを行うし、発情期とは関係なく頻繁にセックスを行うことで、比較的安定したパートナーとの関係がもたらされる傾向がある。それにより、子育てがしやすくなるかもしれないけれど、それだけが理由だとは言えない。毎月妊娠しやすい時期が比較的短いこと、妊娠そして授乳期間中は長期にわたり妊娠しないこと、そして人間の胚の低い着床率を考えると、避妊をしないことによる妊娠というのは、単なる「確率論的な出来事」であり意図して試みた結果ではないとポッツは言う。

さらに、繁殖への欲求の自覚が低いことに関する議論は続く。信頼性の高い避妊具と安全な中絶手術が登場してからは、多くの人が利用してきた。米国では、妊娠する可能性のある年齢の女性の六十二%が何らかの形で避妊しており、現在の比率では、米国人女性の三十%が四十五歳の誕生日までに中絶を経験している。避妊の手段が確立されるまで、女性は出生数の調整をするために、中絶を誘発するとされた様々な形の民間療法に頼っていた。人間は非常に繁栄した種であるものの、少人数の子どもしか産まない——世界中の平均で、女性一人につき二・五人の子どもを産んでおり、この数は先進国ではさらに低くなる。また、文字使用以前の社会では、女性一人当たり四人から六人の子どもを出産していたものの、その約半数が性的に成熟する前に死亡しており、合計特殊出生率「一人の女性が平均して一生のうちに産む子の数。女性の年齢別の出生率を合計」は高いが驚異的なものでなかったということが研究によってわかった。

人間の比較的低い合計特殊出生率は、脳が大きいものの、自分では何もできない乳児にとってはうまく作用している。生まれたときから、人間の赤ん坊は他種と比べようがないくらいの世話を必要とするし、また大人も、食事を与え、世話をし、守り、生きていく術や社交スキルを教えて、生まれてから十数年もの間（時にはもっと長い間）、子どもの世話をし続ける。しかしこれは、人間が哺乳類の祖先のように遺伝子を受け渡していくことに駆り立てられてはいない、という証拠では必ずしもない。むしろ繁殖生態学者は、人間は量より質を優先し、子の養育と資源に投資するようにプログラムされていることの証明だと主張する。

　単なる性衝動だけでなく繁殖への衝動に関して、おそらくもっと説得力のある主張として、排卵期の男女両性の行動を挙げることができる。男女ともにどの時期でもセックスは行うものの、男性は、発情期が近づく女性を、他の時期に比べてより魅力的に感じるのだ――発情期前の女性は良い匂いがし、尻から腰にかけてのラインがより魅力的になり、柔らかく、顔の左右のバランスが整い、より機知に富み、よりクリエイティブになるとされる。女性の方でも、発情期には、より挑発的でおしゃれな服を身につける。ことによれば、もっと気の利いた話ができるように頑張るかもしれない。男性側の嗜好と女性側の努力を裏付けるかのように、ある研究によれば、〔ニューメキシコ州の都市〕アルバカーキでストリップクラブのダンサーとして働く女性たちは、最も妊娠しやすい時期に普段の二倍のチップを稼ぐことがわかった。

配偶者選びもまた、子どもを欲しがる態度や、少なくとも子どもへの感じの良さなどに影響を受けている。子どもと熱心に遊んだり、うっとりしながら赤ん坊のつま先を触ったり、新生児用の毛布やセーターを編んだり、子ども好きに見えることは、男女ともに、人間の子孫が必要とする長い年月の世話をする能力があり、良い伴侶になり得ることを表すのだ。リチャードと私がハイとエドの仮装をした当時、妊活はもっとずっと先のことだったけれど、共同で仮装をしてみて、私たちは、子どもの世話好きそうなお互いの性質を好ましく思ったのだろう。サンタモニカ・ブルバードを歩きながら、世界を敵に回した二人とでもいうような繋がりを感じたのを覚えている。リチャードが頭にばかみたいにストッキングをかぶっている眺めも、自分の腰に乗ったプラスチックのネイサン・ジュニアの重みも、良かった。その二か月後、私たちは婚約した。

子どもを熱望すること——生殖補助医療の経験のさなかで、私が感じていたのはこれだ。そして、今もどうにかこの感情の出所を明らかにしたり、説明したり、さかのぼろうとしたりしている。何よりも、私はずっとこれを望んできた。自分の子どもを抱きたかった。そして霊長類の赤ちゃんみたいに、自分の子にしがみつかれ、お腹に足を巻き付けられ、両の手で髪の毛と腕を掴まれたかった。セアオマイコドリが交尾をするためだけに八年も練習をすることが想像しづらいように、進化生物学の講義で学んだ配偶者選びの理論は、私の子どもを強く望む気持ちを平凡なものにしてしまうように思えた。私だけが特別に追い求めてきたものだと感じていたのに。他の衝動を支えるための衝動ではなく、何か純粋なものとして。

　人間が子どもを熱望する気持ちには、地域によって色々な名前がついている。英国では、こうした状況に悩む女性を、鶏舎用語から転じて「卵を抱きたがる(broody)」と呼ぶ（卵を抱きたがる雌鶏は、休むことも止まり木に止まることもせず、時折胸の羽を抜いて卵を温めつつ、卵の上にずっと座っている）。絶え間なく仕事を課し続ける米国人は、「生物学的な時間切れが迫る(the biological clock is ticking)」なんて言う。スカンジナビアでは「ベビーフィーバー(baby fever)」と呼ばれる。これは、子を願う普遍的な気持ちや、我を忘れるような痛みを伴う病などの様々な形で表れ、広く見られる症状だ。フィンランドの家族社会学者であるアンナ・ロトキルヒは、この現象と、それが示唆するものを自身の専門分野として——人間は子どもを持つことに対して発達した欲求を持っているのか?——大手新聞の読者に、ベビーフィーバーに関する体験談を募集し、調査した。女性からの返信を百六通と、男性からの返信を七通受け取った。男性の回答は数が少なすぎたし、回答も普遍的であり主観的ではなかったため、彼女の研究には使えなかった

（男性の回答のうち二通は、ベビーフィーバーにかかった身の回りの女性たちによって引き起こされる苦しみについて不満を述べていた）。けれど、女性たちからの手紙は親密で詳細に書かれており、その多くはこの熱病を、人生における逃れがたく思いがけない不都合な事実として記していた。

私が発症したのは、生後六週間の赤ちゃんを抱いたときでした……。常識は跡形もなく消え、結果も無視して、子どもを欲しがる気持ちに包み込まれるようでした。実際のところ、辛い経験でした。

回答者の多くは、ベビーフィーバーの最初の徴候として、夢を挙げている。

十年ほど前、おかしなことが起こり始めました。二十八歳になった頃から、ほぼ毎晩子どもの夢を見るようになったのです。いつも落ち着かない気持ちで、まるで子宮が、私の同意していないものを要求しているかのようでした。子どもを産むことを考え始めましたが、どんなことがあっても、それはしたくないと思っていました。

病が体を苦しめるのと同じように、ベビーフィーバーも辛く、すべてのことを取り囲むようなものなのだ。

私がやられたのは二十五歳でした。本当に、やられた！　という感じで、ベビーフィーバーの引き起こした感情は、それまでの人生で経験してきたものとはまるで違うものでした。まったくの生物学的な何かでした。というのも、外部からのプレッシャーがあったわけではなく、むしろうちの両親は「家庭を持つ前にまず良い仕事を見つけろ」と、くどくど言っていたくらいでした。彼とは付き合って六年でしたが二人とも学生で、理想としては早く卒業してキャリアを積み始められたらと考えていたため、子どもがそうした一連のライフイベントの中に加わることは、まだずっと先のはずでした。

フィンランドの人々は、教育とキャリア育成を非常に大切なものと考えているけれど、子どもを産むという衝動に従って行動できない人々にとって、この熱望はもっと強いものになる。

私のベビーフィーバーはまったく手に負えなくなりました。しょっちゅう赤ちゃんの夢を見ます。お店で赤ちゃんの服を必ず触ってしまいます。環境に優しいおむつは他にどんなものがあるのかな、なんて考えたりもします。出先では、見ず知らずの子どもに笑いかけてしまいます。長期的な計画には、必ず未来の子どものことを考慮に入れます。時々夜に横になっていると、大きな熱望を感じることがあります。それは子宮から始まり、体全体に広がっていくのです。身体的で、切実で、痛みを伴う、妊娠したいという欲求です。もし以前に誰かがこんな気持ちを私に説明しようとしたなら、私はきっと呆れて、「母性神話の沼から出て、もっと人生を楽しみなよ」なんて励ましていたでしょう。私たちは、一年か二年のうちに妊活をすることになりました。その日を心待ちにしています。

不妊や他の状況による場合でも、長引くことでベビーフィーバーは逆の作用をもたらしかねない。赤ん坊や小さな子ども、そして店の赤ちゃん用品売り場に引き寄せられる代わりに、苦しむ人たちは、自分が持たざるものを思い出させるものに遭遇する場所を避け始める。妊娠中や子どものいる友人たちと疎遠となり、時には辛すぎるものに変わった関係を断ってしまう。

ロトキルヒは、ベビーフィーバーを「女性たちがたくさんの選択肢を持つ社会では典型的な感情」と説明する。子ども、特に赤ちゃんと接近する場合や、一部の人には残念なことだけれど、障壁が存在する場合、この感情は高まるように見受けられると彼女は言う。ロトキルヒの研究で注目すべき点は、子どもを切望する女性たちについて説明している点ではなく、子どもを常々欲しがっていた女性（もともと子育てが好きな人）もそうでない女性もどちらも含んでいる点だ。いずれのカテゴリーの女性もベビーフィーバーの体験を証言し、それが自分の目標にしばしば反する、思いがけないびっくりするような現象だと報告している。フィンランドは、個人主義と教育を奨励する合計特殊出生率の低い国だ。ロトキルヒの研究対象である人々の半数以上が、こうした理念がしっかりと根付いた一九六〇年から一九八〇年の間に生まれている。けれど回答者は率直に、情熱的に、赤ちゃんの服やおむつや赤ちゃんの頭の独特な匂いなどのありとあらゆる昔ながらのことや、赤ちゃんや母性を身体的に表すことについて書いている。

　子どもを熱望する気持ちを研究しようという考えは、ロトキルヒ自身の体験から生まれたものだ。三十代後半で既に二児の母であり、キャリアも実りある時期にありながら、ロトキルヒは三人目の子が欲しいという激しい欲求を感じたと言う。夫との間では、様々な理由から子どもは二人までと約束していたものの、ベビーフィーバーは高まるばかりで、結局妊娠したそうだ。産休中にベビーフィーバーについて調べてみようと決めたものの、熱《フィーバー》を出した赤ちゃんについての報告ばかりで、彼女の疑念を裏付けるような科学的な文献が何もないことを知り、驚いたと言う。
「女性・ジェンダー学やフェミニズムを進化心理学と統合しようとしている人間として、不思議だなと思ったのは、それぞれの学問の分野が、ベビーフィーバーなど存在するはずないと猛烈な勢いで否定しきっていたことです」とロトキルヒはメールで伝えてくれた。「フェミニストは、女性が子どもを欲しがるように家父長制度が仕向けていると言い、進化心理学者は、人間はセックスを求めているのであり、子どもを求めていると考えることが誤りであると主張します」

しかし、この一連の研究がもっと定量的な方法で家族や妊娠の決断を調査する他の彼女の研究に比べると、一部の人にはあまり真面目な研究に見えないことを認めながらも、ロトキルヒは、ベビーフィーバーが独立した感情であるという考えには一理あるのではと考えた。子どもを望む強い欲求は単なる社会的産物ではなく、もっと深い、生物学的なものではないかと推測し、そしてそれは、そもそも何故人間が子どもを生みたがるのか、合計特殊出生率の低い国ではこのまま出生率〔人口千人に対する一年間の生産児の割合〕は減少していくのか、という問いにも答え得るものだと考えた（彼女のベビーフィーバー研究は、現在の出生率はまずまず安定していることを示唆している）。だからといって、すべての女性がこの現象を体験するわけではないし、体験しない女性は子どもを産み育てる計画をすべきではない、と捉えるべきではない。けれど私のように、子どもを切望する気持ちに捕らわれつつも障壁を抱える人間にとっては、ロトキルヒの研究は自分の体験を明らかにしてくれる。そんな私たちにとって、ベビーフィーバーは、決意できるよう背中を押してくれる力や、はっきりとしないゴールを理不尽に追い求めてしまう自分を説明してくれるという実用性があるのだ。

二十代の半ばに『Vogue』で働いていた頃、その大波が急に私を襲った。このうねりが私に起きてから、どこへ行っても子どもが目についた。通りでは、乳母車について歩いていった。雑誌から赤ん坊の写真を切り抜いては、ベッドの脇の壁に貼り付けていた。赤ん坊のことを思い描きながら眠りについた。抱きしめるところを、あたまの産毛を、こめかみの柔らかいところを、こちらが見つめると目を見張るさまを思い描いた。

これはロトキルヒの調査への回答ではなく、ジョーン・ディディオンの『さよなら、私のクィンターナ』の引用だ。養子を育てた母としての暮らしと喪失を描いた回想録だ。興味深いのは、ディディオンの厳密で一線を引くような文体が、ここでは、ロトキルヒの調査で引き出された途方に暮れた告白と酷似しており、またフィンランドの回答者たちも、個人的な深い感覚の部分を説明する中で、ディディオンのように雄弁に語っているという点だ。ロトキルヒに上記の引用を送ったところ、回想を書いてくれた回答者の数人が、事前に『さよなら、私のクィンターナ』を読んでいたのではないかとすら考えて「動揺した」との返信をくれた（実際には、この本は調査回答を回収し終えた後に発表されている）。

雑誌から赤ん坊の写真を切り抜いては、ベッドの脇の壁に貼り付けていた。これもまさにエドがしていることだ。

私の母も、ベビーフィーバー、母性本能、養育欲求、名前は何だったとしても、それが人気のなかった時代に、重度の発症をしていた。貧しくて若かった母は、壁画や看板の制作をするかたわら、囚人に刺繍を教え、ディスコでダンサーにボディペインティングをするなど、ちょっと変わった芸術系の仕事をしながら生計をたてていた。女友達の中に子どもを産んでいた人は誰もいなかった。見事なまでの長い髪と柳のような肢体をした彼女らは、自由気ままにボーイフレンドとの付き合いやカリフォルニアへの旅行なんかをしていたそうだ。タトゥーを入れ、中絶も経験しているけれど子どもはいない、そういった人が少なくなかった。郊外に住む大家族という旧世代の理想よりも、個人主義、フェミニズム、そして自由恋愛の方が、一九七〇年代の多くの人にとっては良いもので、もっと魅力的で、もっと楽しくて、もっと自由で、さらには責任感があることのように感じられていた。

　私の母はヒッピーであったものの、自由恋愛も自由主義も望んではおらず、イエス・キリストのような見た目をした父（父もまたヒッピーだった）と結婚して、彼の子どもを産みたかったそうだ（ロトキルヒの調査では、恋に落ちることはベビーフィーバーの主な誘因だと明らかになっている）。母の中では、「この人に自分の子の父親になってもらいたいか？」というのがいつも判断基準となっていたそうだ。父は賢く強く、自立していて優しい人だった。母は父のこうした性質を大切に思い、子どもたちにもそれを与えたいと考えた。それに父はハンサムだった。これも影響しているはずだ。

　一九七三年の四月、ツツジが満開の頃、彼らは祖父母の家の裏庭で結婚した。花はピンクに白に、と満開だったことが、ぼやけているものの結婚式の写真の背景からもわかる。当時二十三歳の母はレースの青いドレスと白いベールを身にまとい、二十二歳の父は茶色いタキシードとフリルのついたシャツを着ていた。結婚して数か月たった頃、母は友人と自転車でリー橋を越えて、バージニア州リッチモンドの、袋いっぱいに詰めた服を一ドルで売る古着屋に出かけたそうだ。プレーリードレス[1]やらジーンズの山から、母は鮮やかな青い生地に赤いボタンと柔らかい赤いネルの裏地がついた小さなオーバーオールを見つけた。そしてそれを一ドル袋に詰めて家に持ち帰ると、ねずみと笑顔のお月様と星を刺繍した。いとこのナイジェルがそのオーバーオールを最初に着た子どもで、その後は親戚や友人家族の間で何年も着回されてきた。「あなたのためよ」。ナイジェルのために刺繍をしたのかと私が尋ねたとき、母はそう言った。うっかり恋人を妊娠させてしまった軽はずみな弟に嫉妬し、私を授かるまでに十三か月もかかって辛かったと母は語っていた。私が生まれる頃には、服はすっかりナイジェルには小さくなっていた。数年経ち、私の弟がそれを着て、母の友人ドナの子どもたちと、別のいとこ二人が着た。それから四十代で喜ばしくも思いがけず妊娠をした母の別の友人が、一年間娘に着せた。それを返してもらうと、母は薄紙にくるんで、私のためにヒマラヤ杉のタンスにしまい込んだ。

　私は二十三歳で妊娠するつもりはなかったし、赤ちゃんの洋服売り場を見て回ったりするようなベビーフィーバーにはかかっていなかったけれど、いつかこのオーバーオールも、これが象徴するものすべても欲しいと思っていた。今ではそれも色あせてほとんど白くなり、枕カバーのように柔らかくなってしまっている。母が大切なものの整理をするたびに、この服を取り出してきては私に見せてくれたことを覚えている――**いつかうちの孫のものになるね**――そして、子育てを通して家族の歴史の一つになるという考えに、私も心惹かれたことも。どれだけ遠くに越しても、どれだけ私の人生が親の人生とかけ離れたものだとしても、私も母と同じことをするのだろう、ということ。母が歌ってくれたのと同じ歌をうたい、同じ本を読み聞かせ、同じ遊びをするのだ。母だけでなく、私の子ども時代そのものにも近づくのだろう。ジェニファー・シニア[2]が『子育てのパラドックス——「親になること」は人生をどう変えるのか』の中で指摘するように、子どもたちは、多くの人が記憶の中で美化している自分自身の子ども時代をもう一度体験させ、「時間にワームホールをつくりだす」存在だ。

セアオマイコドリのように、私も何年も練習を重ねてきた。オーバーオールが小さくなって自分には入らなくなった頃には、赤ちゃんの人形にそれを着せていた。そして、その人形に哺乳瓶を与え、沐浴させて、ベビーカーにのせて裏庭を散歩したりしていた。私の初めてのバイトは、三人兄弟のベビーシッターだった。室内でかくれんぼをしたり、家具のあまりない広々とした建売住宅の中を靴下で滑って遊んだりした。実家を出て一年経った大学二年生のときには、保護犬を引き取りそれを言い訳に、子どもの頃みたいに週末の午後をゆっくり川で過ごした。大学院を

1 米国で十九世紀頃から着られているワンピースの形。七〇年代にも再流行した。
2 メンタルヘルスや政治などの分野の米国人ジャーナリスト。

卒業して最初に就いた仕事は、ブルックリンの小学校での教職だった。そこで私は絵本を読み、算数に作文を教え、絵を描き、子どもたちの鼻水を拭った。教員が子どもたちをハグするのは許されていなかったけれど、子どもたちは教員にハグしたり寄りかかったりしてもよかった。その規則を覚えていられるときは、私は木のように真っ直ぐ立って（推奨された姿勢）いたけれど、でもそれと同じくらいハグもした。

練習といっても、こうした経験が私自身の子育てというもっと重要なタスクの準備にすぎなかった、ということが言いたいわけではない。ばかみたいに吠えたがったり、たまに噛んだりもしたものの自分のテリアも愛していたし、生徒たちのことも愛していた。世話をして育てるという行為は、それだけで価値があるし、私の人生にも私が大切に思っていた人たちの人生にも貢献している（と願う）。けれど当時から、世話をすることに私が惹かれるのは、一年生の子どもたちと過ごすわずかな時間のせいではなく、もっと長く深い関係のような、何か他のものに起因しているような気がしていた。そして、それは自分ではどうにもできないものだとも感じていた。

生物学と遺伝学が、母や私のベビーフィーバーへの反応の大きさに影響しているならば、文化は、それをさらに確固たるものにしているのかもしれない。求愛行動の傾向が遺伝したかもしれないという点以外に、私の祖母は、ほぼ間違いなく母がいつか自身の家庭を持つだろうという期待をもって母を育てた。母も、弟や私を同じ考えをもって育てた。出産奨励主義というのは、親になることは人並みになる通過儀礼であり、生産性と責任を持った大人という立場にきちんとなるために、全員が通らなければいけないものだという考え方である。そしてそれは、政治的なプロパガンダやメディアや大衆文化、芸術に文学、そして最も強力な形では家庭の方針として発信される。私たちが気づいていても気づかなくても、出産奨励主義は私たちに影響を与えており、選択肢を正当化させたり、私たちをのけ者のように感じさせたりしているのだ。

　血の繋がった子どもが望ましいものであるという考えは、世界の有名な宗教や、現存する人類最古の芸術表現の中にも刻まれている。ヘブライ語の聖書[3]の中で、神はアダムとイブに沢山の子を産み増やすように命じている。イスラム教は、結婚の目的の一つとして生殖を奨励し、禁欲生活や独身主義に難色すら示している。ヒンズー教徒は、子どもたちは贈り物であり、カルマを映し出すものとしている。三万五千年ほど昔に作られた最古の造形美術の作品は、顔がないか仮面をかぶった女性像で、幅の広い腰、大きな胸に張り出した外陰など、性的な特徴が強調された体

3 キリスト教の旧約聖書と構成が似ている。

つきをしたものだった。こうした女性像は豊穣の女神だと考えられている。

米国における出産奨励主義への言及は、植民地時代にまでさかのぼる。牧師は説教で大家族の母たちを褒め称え、怠け者に勤労を促した。女性入植者は平均で八人の子どもを産んでいたが、そのうち成人を迎えるまで生きたのは四人だけだった。出産奨励主義は、力を持つ人々のために、条件を満たした人々に子どもを生んでもらうことを管理し、奨励するための方法であった。奴隷にされたアフリカ人女性たちは、利益を生み出す繁殖の機械だと見なされるまで、米国で子どもを産むことを阻止されていた。しかし、白人の中流階級や富裕層の米国人は、できるだけ多くの子を産むのが義務だと頻繁に言われていた。これは、一九世紀の間はネイティブアメリカンを追い出し、西部の領土に植民するためであった。そして二〇世紀初期には人種自滅を防ぐためであった。こうした、特定の人々は子どもを産むべきで、その他の人々は産むべきではないという考え方は、米国の優生学運動を扇動し広めていった。

出産奨励主義は、第二次世界大戦後の繁栄と体制順応主義の時代の中で最も高まりを見せた。これは、ベビーブーム世代の人口の多さの一因でもある。そして、その後X世代[4]の誕生に伴い、段々と下火になっていく（これも相対的に見て私たちX世代の人口が少ないことの一因だ）。一九四一年から一九六〇年の間には、理想の家族構成として、子どもはいなくて良いと考えた米国人は〇《ゼロ》%だった。子どものいない人々は、自分勝手な変わり者か、哀れむべき落伍者であり、家庭をもつ男女は愛国的な英雄だったのだ。母が赤ん坊の服の古着を物色していた一九七〇年代には、米国文化には――主にフェミニズムと環境保護主義のおかげで――子どもを持たないライフスタイルを受け入れる余地が生まれていた。子どもを持たない女性やカップルも従来のメディアで発言し、Childfree Network などの団体が自分の意思で子どもを持たない人々を支援した。米国不妊症協会ＲＥＳＯＬＶＥは、一九七四年に設立され、不妊症の女性および男性への支援を提供し、社会から孤立した哀れむべき人々の話とされていた状況を変えていった。

　合計特殊出生率は一九七〇年代にやや減少して以来、比較的安定しているものの、出産奨励主義の文化的な表現は復活を遂げた。テレビでは、臨月から新生児が生まれるその日までカップルに密着する出産のリアリティ番組『ベビー・ストーリー』から、登場人物の喜怒哀楽を生み出す避けがたいものとして家族生活を描いた群像劇のコメディやドラマの『モダン・ファミリー』や『ペアレントフッド』など、子どもを持つ人々を褒めそやすような番組が再び流れている。買い物好きな人に特化したＳＮＳサイトのPinterestでは、出産を祝うパーティーの飾り付けのアイデ

4　一九六〇年代から一九八〇年代初頭までに生まれたベビーブーム後の世代。

アが無数に提案されている。これにはベビーシャワーだけでなく、子どもの性別を発表する集まりや、手が込んだものでは、シップ・アンド・シー（Sip and See）と呼ばれる赤ちゃんのお披露目パーティーなどがある。セレブの文化ではとくに妊娠に注目が集まり、パパラッチは妊娠の徴候がないかどうか、妊娠の可能性がある年齢の女性スターを見張り、不屈の野外研究者のように彼女らの後を追う。

私は何年も練習を重ね、子どもを強く望んできたにもかかわらず、出産奨励主義のプレッシャーやメッセージに対して常に嫌悪感を抱いてきた。それは個人主義の大切さや、子を産み増やすこと以外に、女性がなし得ることを否定するように思われたからだ。

以前、ある友人に、当時妊娠していた共通の友人を車に乗せるのが嫌だと言われたことがある――事故でも起きたときに責任を取りたくないからだと言う。そう打ち明けられたとき、私は彼女の車の助手席にいた。「じゃあ私はどうなるの？」友人のお腹の中にいる子どもよりも、自分の命の方はそこまで大切にされていないことにむっとした私は、そう聞き返した。

この友人は、子どもがおらず私よりも十歳上だったのだけれど、彼女に「私は三十歳になるまでに二人子どもが欲しい」と言ったことがある。私は当時二十二、三歳だった。何もわかっていなかった。自分の頭でわかったと思ったことは最初から備わっていたものだったのだ。生き方のモデルは、母とその母から学び受け継いだものだったし、恋に落ちたとき、そして赤ん坊を抱っこしたり子どもに読み聞かせたりするときに感じたのは、生物学的に突き動かされた感情だった。その事実が、感情をもっとリアルなものにするか、嘘臭くするかは私にはわからない。

私は、ベビーフィーバーにかかったままだったとしても、時間が経てばきっと立ち直っていたのではないかと思う。他の人の子どもたちの世話をすることで自分の切望を満たしていただろう。自立、自由を謳歌し、自分の時間を満喫していたかもしれない。でもその代わりに、私とリチャードは不妊治療を選び、最終的には娘を体外受精治療で授かるという、私たちにとって非凡な方法を選んだ。人生最良の決断だったけれど、もちろんこの評価には、自分たちが成功したという体験のフィルターがかかっている。

体外受精を始める五年前、子どもを持つことを決めたときに、私はかかりつけの婦人科医に伝える良いタイミングだと思った。定期健診に行って、どうやって言おうとか、何か自分の健康について聞いておいた方がいいことはあるかとか考えていた。

私は、もったいぶった感じがしたので、「妊活《トライング》」を始める準備ができたという言い方はしたくなかった。私は医者の前ではいつも優等生のように振る舞い、自慢げに（時々てきとうにごまかしながら）喫煙の習慣の項目には「なし」、飲酒量の項目は「一日一杯未満」、運動は「週に三回から五回」に印をつけるけれど、検査の間ずっと、言い出すタイミングを気まずく待っていたのを覚えている。最後に、先生が何か質問はないか聞いたので、私は出し抜けに、もうピルを飲みたくないです、妊娠するつもりなんです、と口走ってしまった。採用面接で将来の計画について話すときみたいに、堅苦しくて、嘘臭くなってしまった。先生は、安心させるような前向きなことを何か言ってくれたけれど、私は恥ずかしくって、うまく行かないのではと既に怖がっていたことを覚えている。

　そして、簡単には行かなかった。多くの人たちにとって、子どもを迎えることは簡単に行くことではなく、私たちは選択肢とともに残される。不妊治療をするか。子どもを一人で迎えるのか、それともパートナーと一緒に迎えるか。国内で養子縁組をするか、それとも海外からか。子どものいないままの人生や、選択的に子どもを持たない人生を送るか。私は、自らの選択肢に向き合い決断した他の人々の物語や、私がこれまで聞かされてきた物語とは様子の異なる物語に興味を抱くようになった。

　語られることのない物語、一部の人は聞きたがらない物語に興味を持つようになっていった。私は、「挑戦《トライイング》」に興味を持ったのだ。

Imaginary Children

第3章 ✤ 想像上の子どもたち

十二月の火曜朝十時、私はホリデーシーズンの風物詩である『ヴァージニア・ウルフなんかこわくない』〔米国人劇作家エドワード・オールビーによる戯曲〕のマチネ開演を、十二人のアドバンスト・プレースメント（AP）〔学力の高い高校生が履修できる大学レベルの授業〕の英語の授業の生徒たちと待っていた。演劇クラスの先生が私の隣に座った。子どもたちは私たちの一つ前の列にいる。私たちの座っている急なひな壇の上からは、寄りかかりあって話す生徒たちの頭のてっぺんが見えた。

私は、小さな地方のチャータースクール[1]で三年間教えていた。そこで働き始めた当初、自分の担当授業のほとんどに、十人も生徒がいなかった。校長は、生徒の生活にあまり立ち入らないよう私たちに警告したけれど、学校の成り立ちそのものが、まるで生徒たちが自分の子どもたちであるかのように、つい感じさせるものだった。自分の車に生徒を乗せて遠足に連れて行ったし、昼ご飯も一緒に食べたし、彼氏や彼女、家庭での問題について相談を受けたりした。当の校長本人も数年前に、全校生徒とその家族のために感謝祭のディナーを振る舞っていた。生徒たちは教員の携帯の番号を知っていた。それに、住んでいる場所も知っていたし、一部の教員を下の名前で呼んでいた。

　生徒たちは感情的になって、成績や出席率や服装について私たちと喧嘩をすることもあった。一度、ある生徒が、自慢に思っていたプロジェクトの批評をした私をビッチと呼んだ。私は彼を教室外に出したところ、彼はすっかり反省して一時間ほど進路指導室で泣いていた。私たちは、何が彼らをやる気にさせて動揺させるか知っていたし、もし生徒たちが、教員たちが雑談する際に生徒たちのことを話したりするのか想像していたとしたら、まさにその通りだった。私たちは絶えず親のように、生徒が望むものと必要なものの正しいバランスを取るための戦略を立てていた。舞台が開演するのを待つ間、私は真面目で信仰心の厚い女子のことを心配していた。彼女は前年に、性的な場面やきつい言葉遣いが含まれるせいで、いくつかの読書課題を読まなかった（『ハックルベリー・フィンの冒険』を扱った際には、他の生徒が助け舟をだし、彼女の本の不快な表現を黒塗りにしてくれた)。私は、彼女が公演を途中退席するだろうか、後を追う際には何と言おうかと考えていた。

大学二年時に読んでから、私はこの戯曲がずっと大好きだった。でも、今は何か違う意味を持っている。昔は、**あんたには吐き気がする**というような台詞にもある、ジョージとマーサの機能不全な関係に対してのショックや、お互いが「客を打ちのめす」喧嘩のあとに、どうやって迫り来る愛のような何かに戻っていくかという話として見ていた。生徒たちもそこに興味を引かれていたと思う——言葉の大げささや残酷さにだ——けれど、授業で一緒に読んだこの文学作品の中に、子なしの惨めな夫婦の物語の中に存在するありふれた考え方を、彼らはきっと認識していたはずだ。それは、子どもを持てないことは、人の生活、特に女性の人生に社会的に歪みを与え、倫理的に蝕んでいく作用がある、というものだ。私自身の不妊歴が三年目に入る中、私もかつて、そんなレンズを通してこの作品を見ていた、と認めることができる。今は、この物語の別の側面に同調している。いない子どもと、その不在を生き延びるためにジョージとマーサがしているこ

1 州や国、学区などからの資金援助を受け運営される、学費は無料の独立した教育機関。幼児教育、小学校、中学校、高校までの様々なレベルの学校とカリキュラムが存在する。

とに。

　数か月前、私はこの授業の生徒たちを残し、三十二キロ先のチャペルヒルにある、一年近く不妊治療を受けている病院へ車で向かった。昼休みには戻ってくるという以外、私がどこに行っているかは誰も知らなかった。季節は、子どもの頃と新しいことの始まりをいつも思い出させる初秋で、澄んだ清々しい光の中で希望と興奮を感じていたのを覚えている。それは、私の四度目の人工授精、つまりＩＵＩ[2]となるはずだった。学校のトイレで何日も排卵日予測検査薬で尿検査を行い、やっと排卵直前を示すデジタルの笑顔の絵文字が出たので、私は診察予約を取った。

　リチャードはすでに病院に行き、その日の朝の早い時間に、精液を提出していた。これを特殊な機械で洗浄し、最も元気な精子だけを残すのだ。妊娠の可能性は低かったものの、この処置は比較的手ごろな値段で、あまり手がかからなかった。

　経済的にも時間的にも、人工授精の予約はタイヤ交換のようなものだった――毎月のことだったとしても、だ。体外受精という次のステップは、新車を一台もしくは数台買うようなものになる。知り合いには誰も、一回や二回で成功すると期待して人工授精に挑んだ人はいなかった。生殖補助医療技術協会（ＳＡＲＴ）は、クリニックに人工授精成功率データの記録を義務付けていないため、私たちは、ネットの掲示板やピアサポートグループに集まった成功例や失敗談を頼るしかなかった。三度の失敗なんて何でもなかった。私は、五回、六回、七回の人工授精を経て妊娠した女性たちを知っている。いずれは私たちも上手くいくだろうと期待していた。

医師が、見慣れた内診台がある薄暗い部屋ではなく、明るい照明のついた会議室へと私を案内した際、自分の期待が馬鹿げたものだったのだと知った。処置を再度試みることは無益であることを説明する医師が丸で囲んだカルテ上の数字を、私はほとんど見もしなかった。

「そろそろ」と医師は言う。「別の治療に移る時期だと思います」

経済的な面でも気持ちの面でも、私たち夫婦は、まだ体外受精の準備はできていないとわかっていた。今のところは、これで終わりだ。手にいっぱいのティッシュを取り、学校に車で戻った。昼食の時間で、生徒たちが外で食べるくらい暖かい天気だった。自分の準備室に誰にも話しかけることなく戻り、ドアを閉じ、鍵をかけた。誰か入ってこようとしたか覚えてはいないけれど、高校生たちは誰一人として、なぜ私に子どもがいないか聞かなかった。もしかしたら、自分たちがいれば充分だと思っていたのかもしれない。

2 日本ではAIHと呼ばれる。

初めてエドワード・オールビーの戯曲を読んだ当時は、なぜジョージとマーサに子どもができないのか考えもしなかった。私は十九歳で、生殖の仕組みは毎日飲んでいたピルを別にすれば、自分の生活にあまり意味を持たなかった。五十代はじめのマーサは、妊娠できる時期はとっくに過ぎていたことに私は気づいていたはずだけれど、その事実は直接語られることはない。第三幕では、客であるニックとハネーに、ジョージとマーサに子どものいないことが明らかになると、ジョージとマーサはそれまで見せなかった落ち着きをもって応じる。ニックがジョージに「あなたは……できなかったんですか？」と静かに聞く。「**私たち**にはできなかった」とジョージは答える。マーサも、ト書きによると「一体感を示しながら」、「**私たち**にはできなかった」と繰り返す。

ジョージとマーサは、不妊の危機的局面を過ぎており――出産はとうの昔に旅立った船だった――観客は、何故二人は子どもを持たなかったのか、治療のために何かしたのかなどを考えることを促されたりはしない。代わりに、この夫婦は子どものいない結婚の余生がどんなものかという考えを体現している――わらべ歌にもあるような、キスから愛、結婚、そしてゆりかごへと進んで行くはずの伝統的なヘテロセクシュアルの関係の破綻だ。この二人が危険な夫婦なのは、家族のかすがいを持たないからだ。不適切で、辛辣で、不実で、みだらで、アルコールに依存している。二人は挫折しており――ジョージは自分のキャリアで、マーサはジョージのキャリアへの自分の期待が――この不幸のなかで、二人は客の一番触れられたくない部分を暴く。二人が「客を打ちのめす」のは、二人には確固たる基盤がないからだ。

「ヴァージニア・ウルフなんかこわくない」と第二幕の終わり近くで、ジョージが歌う。ハネーもそれに加わる。

「やめて！」とマーサが叫ぶ。

ハネーは部屋を出て行き、吐く。

幕間で劇場の明かりが付き、生徒たちが、目をぱちぱちさせ笑いながら、少しくたびれた様子でこちらを振り返る。この大学公演の俳優陣は、ある種のセックスアピールに欠けていたけれど――マーサは痩せすぎて角張っており、ジョージは背が低くて髪はなく、肩幅が狭かった――子どもたちが舞台を楽しんでいるのが見てとれた。ジョージがニックを馬鹿にするところでは笑っていたし、マーサがニックを誘惑するところでは息をのんでいた。私は生徒の反応を観察するのに忙しく、自分の反応に注意を払うどころではなかった。「大丈夫？」声に出さずに、用心深い生徒に聞いた。彼女は頷き、友達と売店へと向かって行った。

文学はしばしば、子どもを持たないことが主人公にどう影響するか、私たちに想像するよう訴えかける。ＡＰの英語の授業でジョージとマーサを扱うまでに、生徒たちはすでに、子どものいない女性やカップルについての記述をいくつも読んでいたし、そのすべてが基盤を持たず崩壊した性質を強調していた。教科書はなかったものの、州のカリキュラムの推奨や機会の有無（例えば舞台公演を見るチャンスがあるか）、そして私が感じる生徒たち――私にとっての代役の子どもたち――の好みを基に、読書課題を選んだ。これは、根本的に身勝手な判断だった。自分が大好きな登場人物を、生徒が自分のものにするところを見たかったのもあるけれど、自分がこれらの作品を生徒たちに紹介した先生になりたかったのだ。読書課題を必ずしも事前に読まないある女子が、ある朝上機嫌でディケンズの作品に出てくる、結婚式で振られた皺だらけのミス・ハヴィシャム[3]の物真似をしながらやってきたときは、私はすっかりわくわくした。ミス・ハヴィシャムは養女のエステラに、ピップを失恋させるように残酷にけしかけるのだ。

　マクベス夫人[4]という、別の魅力的な悪役について何日も話しあったこともある。マクベス夫妻はおそらく子どもを授かれる年齢を過ぎておらず、二人はどんな子どもが生まれるか、倒錯した暴力的な想像を睦言として言いあう。マクベス夫人は、二人にもし子どもができて、夫に子を殺すように頼まれたら「(自分の)乳首をまだ歯の生えない子の口から引っこ抜き」脳をたたき割るだろうと夫に言う。マクベスは「男の子以外を産むな」と言い、愛しそうに妻に応える。けれど二人が子なしであることは変わらず、もっと高潔な他の家族に囲まれ、悩んでいる。相続人のいないマクベスは、バンクォーの子孫が王位継承することを、自分自身の幸せと成功への侮辱として捉える。自分の野心と子どものいない妻の扇動に駆り立てられ、そこで彼が何をするか？　ダンカンの殺害、バンクォーの殺害、マクダフ一家の「可愛い子たち」すべての殺害だ。ジョージとマーサのように、陰気なミス・ハヴィシャムのように、マクベス夫妻に欠けているものが、二人を危険なものにしているのだ。

　暗くなった劇場内に座り、自分の子どもがいない状況について考えていると、授業でよく話にのぼる女性の登場人物のどれくらいが——ヘスター・プリン[5]に、ミス・ハヴィシャムからセト[6]——子との関係によって特徴づけられており、そのことが生徒に対し、子との関係が誰かにとってアイデンティティの中心をなすものだという考えをささやかながら強化していることに、ふと気がついた。現実では、これは事実である場合もそうでない場合もある。ある子は、溺愛する親

3 英国人作家チャールズ・ディケンズの小説『大いなる遺産』の登場人物。
4 ウィリアム・シェイクスピアの戯曲『マクベス』の主人公の妻。
5 ナサニエル・ホーソーン著『緋文字』の登場人物。
6 聖書の登場人物。

を持つかもしれないし、ある子は、仕事や依存症や他の関係の中に消えていった親を持つのかもしれない。それでも、ひどくなおざりにされてきた子ですら、親になるという出来事のない人生は想像し難いようだ。十七歳か十八歳頃には、すでに何人子どもが欲しいかや何歳で産みたいかわかっているし、そのほとんどが自分の生まれた家族の構成を模している。きょうだいが一人いる子は、二人の子どもが欲しいと考えたりするし、大家族生まれは、同じような状況を自分自身にも想像する。恋愛経験が一番少ない子でも、いつかは家族を持つことを確信している。

リチャードと私は、ロサンゼルスで初めて一緒に住んだとき、小さなぬいぐるみのコレクションを持っていた。コレクションは、どういうわけだか婚約指輪についてきた、スカーフを巻いたクマから始まった。クマの相手に、おもちゃのパンダ、ハムスターのぬいぐるみを二匹、そして海賊の格好をしたウサギを増やしていった。そして、それぞれに人格を作りあげて、家族でお祝いをするために祝日にはぬいぐるみたちを並べた。シンコ・デ・マヨ［五月五日のメキシコの祝日］では、タコスを作り、クリスマスには宝くじを買ってあげたけれど、ちっとも変だとは思わなかった――ただ、そういうものだったのだ――だからって誰にも言わなかった。

私たちの暮らしが、両親が今の私たちの年齢だった頃や叔母や叔父やいとこの暮らしとは似ても似つかないことを常に気づかされる今となっては、私たちの儀式や伝統が他の人にどんな風に映りうるかということは、痛いくらいわかっていた。私たちの暮らしは、ややもすると排他的なプレイデート[7]や誕生日パーティーや寝かしつけなどの新しい世界に行ってしまった、既婚の友人たちの暮らしとは似ている部分が段々と減ってきた。けれど、我が家の暮らしは、独身や子どもがいない他の友人たちの暮らしとも違っていた。私たちは常に待っている状態だった。次の周期を、次の診察予約を、次のピアサポートグループの会合を。遠くへは旅行しなかった。とにかく貯金をした。計算をした——この治療がうまくいけば、六月頃にはこうなっていて、八月にはここまで行ってるね、という風に。

時々、想像上の子どもについて二人で話し合っていることに気づいた。妊活を始める前や、治療が失敗する前にはしなかったことだ。私たちは、赤ちゃんの名前の候補リストは作ってはいなかったし、子どものことや妊活のことは誰にも話さなかった。でも、時々自分が「もし娘が……」とか「もし息子が……」と言っているのに気づいた。何歳になったら娘と一緒にカヤックできるのだろう？　スケートボードの練習場を森に作るにはいくらかかるだろう？　そして、生理が来てしまう。時計ほど正確でないにしても常にやって来て、私たちはふり出しに戻った。

7 保護者同士で予定を合わせて一緒に子どもを遊ばせること。

人は、心の準備をするためや慰めを求めるために文学に頼るけれど、大多数が妊娠できて家族を軸に動かされる社会の中で、不妊の人々や子どもを持たない選択をした人たちに対しては、慰めとなるものがほとんどないことに私は衝撃を受けた。子どもがいない女性は、あまり女性的でないし育てる能力もあまりないという、古い考え方と偏見は根深く存在する。彼女は自身の持たざるもので自身を定義され、生物学的または社会的にも、または一時的でも永続的なものでも、治療したり受け入れていたりしていても、自身の状況が間違っている、という考えを強化する文化に何度も直面する。

　不妊で妊活をしている女性にとっては、治療の選び方ですら、文学的解釈や文学的題材の対象となる。聖書に登場するサラは、九十歳になるまで不妊に耐え、神が最終的にサラに子どもを授ける前には、夫アブラハムが女中と子をもうけることを祝福すらしている。この話の寓意的なメッセージは、忍耐と信仰をもって神の意志を受け入れることで、サラは生物学的に可能な時期がとっくに過ぎた後、イサクの出産で報われるのだ。アブラハムの妻である彼女に待つ以外の選択肢はほとんどなかったけれど、待つという行為が彼女を、子なしの悲しむ者（サライ）から国の母（サラ）へと変容させたのだ。

サラの物語は文学や思想に影響を与えており、子どもを持たないことに対し、息子をでっち上げることで対処したオールビーのマーサの見世物を、哀れでグロテスクなものにしているものが何かという洞察をもたらす。懐妊は、変化でありながらミステリアスで、女性によって計画されるものというより、神に授けられるものなのだ。それに干渉するのは不自然で、がつがつした欲深いことなのだ。

自分の最初の短編小説集を振り返ると、この聖書の物語がどれだけすっかり自分の考えの一部になっていたかわかる。話を執筆したときには自分が妊娠しにくいなど予想しなかったけれど、母になることや、長く待ち望んでいたライフステージのことは心に浮かんでいたはずだ。私は三人の不妊の登場人物と偶然妊娠する人物を一人登場させた。

今となっては興味深いのは、その登場人物たちが生殖能力に対する一般的な通念をどれだけ徹底的に体現しているかというところだ。ロレッタは看護師で、定年後の暮らしを楽しむためにボートのマタポナイクイーン号の購入費用を貯金している。晩年の夫との間に子どもはできなかったものの、ロレッタは自身の不妊をストイックに受け入れている。デイリークイーンというソフトクリームショップへ、自身の高齢患者であるキューティーに同行する際、ロレッタは金曜の夜に夫とソフトクリームを食べに出かけていたことを思い出す。「自分たちに子どもがいたらもっと楽しかっただろうなんてことは絶対に言うことなく、付き合っているカップルのようにコンクリートのベンチに腰かけて、コーンを食べていた」。数人の読者から、ロレッタはとげがあるし正直でないと言われたけれど、この短編集の中でヒーローに一番近い存在であり、彼女が登場する話は、状況を受け入れ、密かに悼み、自分のエネルギーを別の形で他者の世話に注ぐ彼女を讃えるものになっている。もちろん、ロレッタの受容も秘密も、精神的な強さや機転の良さを賞賛することにも、おかしいところは何もない。その忍耐力を医療問題として見なさない描写は、他の話に登場する脇役と関連して、私の中で問題になってきた。

ジェシカは、メリンダの娘で不妊症であり、メリンダの夫ジョナはジェンダー移行過程の最中にいる。この話を書いている間、ジョナとメリンダの体験を正確に描写できているかすごく心配した。二人のような中年カップルやホルモン治療、ジョナが将来うける手術のことをリサーチした。それとは対照的に、私はジェシカの症状や治療についてリサーチした記憶がまったくない。きっと充分知っていると思っていたのだろう。

ジェシカはたった二十二歳だ。あり得ないわけではないものの、彼女の年齢で不妊症になるのは稀だ。六か月間排卵誘発剤を服用していて「半ダースの受精卵を（中略）子宮に移植して」おり、メリンダの言葉をかりると「日がな一日横向きに寝て、自分でお尻に注射を打っている」。

自分がどうやってこんな治療の経過を思いついたのか定かではないけれど、今はこれが不正確であることをわかっている。もっと悪かったところは、視野が狭く、必死で、家族に感情表現をしないというジェシカの描写で、不妊治療をすることと彼女の性格を直結結びつけているところだ。「ストレスは妊娠の敵だから」と、ジョナの性転換のニュースを伝えられた直後に、母親との電話を切る前に言う。治療は、娘を孤立させただけでなく、メリンダの目には娘はあまり魅力的で女性的でなくなってしまったように見える。そのメリンダは、自分の女きょうだいにジェシカが「スーパーにジャージを着ていくし、髪の毛もセットしないで出かける」と嘆く。

　ロレッタが聖書のサラのように、忍耐深く、受け入れる心とストイックさを持っているとすれば、ジェシカは、医学的により複雑な不妊治療に伴う、もっと新しいステレオタイプを表している。どんなに費用をかけても盲目的に妊娠しようとしている必死でぴりぴりした女性で、その過程で自分の関係や尊厳を壊していく。もし戻って彼女を書き直せるなら、書き直したい。彼女を通し、柔軟な考えを持つ母親との対比を描きたいけれど、その自分勝手さを描く道具として体外受精は使わないだろう。少なくとも、治療の詳細は正確に書きたい。

　なぜ私は、ジェシカの治療を正確に描写できるか心配しなかったのか？　その答えはおそらく、大衆文化が体外受精患者の一貫した描写を非常にたくさん与えてくるからだと思う。困り切っており、自分中心で、物質主義で、不自然である、というのが正確なのだと私も決めつけていたに違いない。けれど、ジョージとマーサやマクベスやサラの話に戻っていく、もっと切実で厄介な理由がそこにあるのだと思う。

　文化として、西洋に住む私たちは、人間の懐胎をミステリアスで魔術的なものとすら想像してきた。子どもを望み祈ることはできるが、最終的に子どもを授かるか決めるのは自然か神である。この思想は、ポジティブな社会的効果を持っている。母親たちや父親たちに、選ばれた特別な存在だと感じさせるし、計画外の、もしくは望まない妊娠の重荷を和らげてくれるかもしれない。けれど、不妊症のカップルにはどうか。その祈りや希望や願いにかかわらず、神や自然に、子どもを持てる人間として選ばれなかったのだ。生物学的にも、もしかしたら倫理的にも何かがおかしいのだ。壊れていて、親業には向いていない。もしかしたら愛の強さが足りないのかもしれないし、別のものを求めているのかもしれない。もしくはマクベスのように魔術や王殺しにかかりきりなのかもしれない。ジョージとマーサのように年を取り過ぎているのかもしれない。もしかしたら喧嘩をし過ぎるのかもしれない。

　そして、もし医療の介入を選んだならば、神に逆らっているのだろうか。自然に逆らっているのだろうか。『ヴァージニア・ウルフなんかこわくない』が初演された一九六二年は、科学者たちが初めて体外受精治療を成功させる十年前だったけれど、すでに試験管ベビーへの不安はジョージとニックの議論の中に表れている。「あんたたちは試験管で作るんだろう、生物学者っていうのは」とジョージは責め立てる。もっと最近では、常々生物倫理と医学への疑問を投げかけるカソリックの教えが、体外受精を含む生殖補助医療の多くの形に一貫して断固反対している。カソリックの司教や生物倫理学者による体外受精への多岐にわたる反対意見は、成長しない、または望まない胚の創造や破壊、遺伝子検査や胚の選別、医師が暴利を貪っていること、ドナー卵子と精子の使用、人間をクローン化するという誘惑、といったものを含む。そして、これらがすべて技術的で人工的にすぎるという考えも、だ。ニカイア信条〔キリスト教の基本信条〕によると、イエスですら「作られずにして生まれた」とされている。しかし、反論の根底にあるのは、生殖補助医療が、神からの贈り物であると見なされる懐胎に介入している点であるようだ。一九八七年に、教皇ヨハネパウロ二世が『生命のはじまりに関する教書　人間の生命のはじまりに対する尊重と生殖過程の尊厳に関する現代のいくつかの疑問に答えて』を発行したが、これは、体外受精が人間の生殖の「完全性」を奪うと断言している。『生命のはじまりに関する教書』を共同執筆した教皇ベネディクト十六世は、二〇一二年に「不妊の診断と治療」についてのカンファレンスにて教皇庁立生命アカデミーの科学者二百人と会員の前で行った演説で、この思想をさらに詳しく説明した。体外受精の治療を「創造主にとって代わるもの」とたとえ、不妊症のカップルに「人間として、そして夫婦として自身の尊厳を充分に尊重する答えを見つける」ように促した。私はカソリック信徒でもないし、信心深くすらないけれど、自分の住む州の健康保険の不妊治療に対する保険適用範囲は『生命のはじまりに関する教書』の提案と一致していることに気がついた。自分の体に対するホルモン治療や手術は構わないものの、「通常の性交を伴わない妊娠を試みるいかなる手段」も許されないのだ。さらに、不妊を経験するまで、私も生殖補助医療に対してなぜかこうした偏見を持っていたし、それこそが治療を求める多くの不妊症のカップルに向けられる偏見なのだと今はわかる。無菌の実験室で多額の（多くの人にとっては法外な）費用の元に作られた赤ちゃんよりも、偶然か恩寵か生物学的な方法で（無料で！）やってくる赤ちゃんを想像することの方が、心地良いのだ。そして、生殖補助医療の儀式や実践されることの多くに威厳がないというのは本当だ。何もかもが私が子どもを産むことを考えたときに想像していたものとは違っている。卵子の生成を遅らせたり誘発するホルモンを自己注射したりすることに、威厳はない。経腟超音波検査で自分の卵巣を検査されることに、威厳などない。針で採卵できるように麻酔をうたれることも。自分の夫に鍵の掛かった部屋から決まり悪そうに、胚培養士の監督のもとで卵子と組み合わされる「サンプル」を持って出てこさせることも。移植の日に渡される、八つの細胞からなる胚の不鮮明な写真（赤ちゃんには似ても似つかない）にも威厳はないし、その後に続く、待つことも絶望もそうだ。

　けれど、人生の中の多くの物事、特に結婚と医療に関することに威厳などない。ある種の食事療法にも、ジムに通うことにも、結腸鏡検査を受けることにも、自宅に様々な修繕を行うことにも。それに、いつセックスに威厳が与えられたというのだ。先の教皇が、不妊に対してより敬意をもった答えを見つけるようにカップルに助言を与えた際も、教皇は、内診台の上で開かれた女性の足やシャーレの中の胚を憂慮していたわけでないと思う。ここでの本当の懸念は、女性の満たされない欲求、貪欲さ、望み、問題の抜け道を考えようとするところにあるのだと思う。これは、女性が現状に不満を抱いているから、私がしたように選択的医療に頼り、マーサがしたように想像に頼るのだという考え方だ。待つ方が賢明なのだ。イサクの母サラのように。預言者サムエルの母ハンナのように。洗礼者ヨハネの母エリサベトのように。

　現状への抵抗でも、特に失敗に終わるであろう抵抗というのは、威厳のないものだ。オールビーの戯曲の好きな部分の一つは、マーサの露骨さと明らかなコントロールの欠如の中に、生真面目さと忍耐力という本質があるのを徐々に認識させるそのやり方だ。マーサが感心しながら、ニックの生物学の研究が数学のそれに比べると「あまり深遠（abstruse）でない」と表現すると、ジョージが「抽象的（abstract）」だと訂正する。マーサは「難解という意味での**深遠**です！」と激しく言い返し、舌を突き出してみせる。自分なりのやり方で彼女は威厳を持っており、彼女についていけるかは観客次第なのだ。

当初、観客や批評家は、ジョージとマーサの結婚の詳細や、特にマーサの性格の理解に苦しんだ。オールビーとキャストの一部が聞いた最初の批評は、電話で受けて聞き書きされたもので、『デイリー・ミラー』誌のロバート・コールマンによるものだった。内容は「これは病的な人々を描いた病的な戯曲だ。登場人物は神経過敏で残酷でいやらしく、舞台ではなく、本当なら精神病患者のためのサナトリウムに属している」というものだった。新聞『ニューヨーク・デイリー・ニューズ』は、見出しで「すけべな女性にだけ」この舞台を勧めた（そしてチケットの売上増加に貢献した）。その後、この戯曲を「卑猥」だとしたピュリッツァー賞理事会は、選考委員が満場一致でこの作品を推薦したにもかかわらずそれを却下し、一九六二年の戯曲部門のピュリッツァー賞授与を拒否した。下品な言葉と騒々しく衰えることのないジョージとマーサの口論だけでなく、多くの人は特に想像上の息子の存在に騒然とした。一部の人は、ジョージとマーサが同性愛の関係を密かに表していると主張したが、自身がゲイであるオールビーによって、この意見は否定されている。リチャード・シェクナー[8]は『テュレーン・ドラマ・レビュー』への記事に「架空の子ども」は「哲学的にも心理学的にも詩的表現としても妥当なものではない」と断言している。

想像上の子どもの妥当性をめぐる議論は映画版『バージニア・ウルフなんかこわくない』をも脅かした。プロデューサー兼脚本家のアーネスト・リーマンは、ジョージとマーサの想像上の息子を実在した設定にすることで、批判されていた不快な部分に対処することを提案した。リーマンの提案したバージョンでは、息子のジムは十六歳のときにクローゼットで首を吊るというものだった。上から壁紙を貼られふさがれたクローゼットが、劇中でジョージとマーサが口論する「本当か幻想か」という問いを粗雑に表現するものとして用いられるというものだ。

オールビーは、後に記しているように、精神的に距離があった裕福な両親に乳児で養子に迎えられており、不妊とそれがもたらす結果について考える理由があった。「一家全員不妊でした。血が絶えたのです」とオールビー一族について述べている。「スリップしてひどい急停止をするようなものでした。片っ端から」(彼の父親の女きょうだいもまた不妊であった)。

8 米国の演劇研究者。テュレーン大学の発行する『テュレーン・ドラマ・レビュー』の編集者も務めた。

オールビーは自身の養子縁組を幼少の頃から知っていて、家族の中での自分の役目をどことなく想像上のもののように感じていた――つまり、ある種の役割を果たすように定められていたのだ。「両親は私を買いました」と親についてオールビーは言う。「百三十三ドル三十セント払ったそうです」。オールビーがジョージとマーサだけでなく、存在しない子どもである「息子のジム」にも共感していたことは想像に難くない。そして、この戯曲の中心となる要素は非現実的だとか、さらにひどいのは、根拠がないと退けられるのを聞いて、私が今感じているように、オールビーは不思議に感じていたに違いない。

　舞台が制作される前に、オールビーはレナード・ウルフに手紙を書き、亡くなった彼の妻の名前が題名に使われることを知らせた。ウルフは承諾の旨を返信し、ロンドン公演を観劇した後に、再び手紙を書き、オールビーがヴァージニア作品である『ラピンとラピノヴァ』を読んだことがあるか尋ねた。「詳細はかなり違うけれど、テーマはあなたの戯曲の中の想像の子どものそれと同じです」とウルフはオールビーに書いている。この話は、結婚生活の重圧を、話をつくることで対処する新婚カップルのアーネストとロザリンドと、物語内にあるように「一羽の白い野ウサギと、ウサギだけが住んでいる自分たちだけの世界」について描かれている。[9] 退屈と険悪さが代わる代わるやってくる現実を前に、想像の世界では、王と女王であるラピンとラピノヴァとして二人は繋がりを感じることができた。ジョージとマーサのように、二人は誰にも言わないことを同意しあう。「それが大事なところだった。二人以外の誰も、そんな世界が存在することを知らないということが」。オールビーの戯曲と（オールビー曰く読んだことがないという）ウルフの物語が最も強く関連する点は、想像の世界の破壊と、それが夫によって実行されるという点である。ラピノヴァは「罠にかかって」と、アーネストはロザリンドに告げる。「殺されたんだ」。ロザリンドはもはや空想の世界で生きることを許されず、（推測だけれどジョージとマーサとは違い）結婚が破壊される。

『不妊と創造的精神』という著書の中でロクサーヌ・ヘッド・ディンキンとロバート・J・ディンキンは「空想の子どもを心に思い描くことは、人が考えるほど変わったことではなく、空想の子どもはフィクションの作品の中だけでなく、実際の人々の暮らしの中に表れます」と書いており、子どもの想像をしていた作家の名前が挙げられている。エラ・ウィーラー・ウィルコックスは、夫と共にウィニフレッドという娘を作り上げた。キャサリン・マンズフィールドは夫と、ディッキーという名前の男の子を空想した。そしてドクター・スースには妻ヘレンと共有する、

9　一般的なウサギに比べ野ウサギの方が体が大きい。またラピンやラピノヴァの名前はフランス語のウサギlapinから来ている。

クリサンセマム‐パールという想像上の子どもがいた。

　リチャードと私がロサンゼルスで集めていたぬいぐるみの家族は、ベッドルームにあるＣＤの収納棚の中に、ドールハウスであるかのように住んでいた。十一年後ノースカロライナで、私はクマ、パンダ、ウサギ、そしてハムスターたちをはずれた宝くじの券と古いクリスマスキャンディとすべて一緒にかごに入れ、ベッドの下に押し込んだ。時々リチャードは、皆について触れ「しばらく会ってないな」とか言うので、私は、場所がないとか散らかるのがすごく嫌だとか言い訳をした。私たち独特の習慣が、部外者にどう見えるか考えたりしたくなかったし、友人たちが子どもの学校の劇や卒業式に行く中で、自分たちがまだぬいぐるみにタコスを作ったりしている可能性について想像したくなかった。この頃には、ピアサポートグループは大きくなっていて、何人もの女性がＡＲＴ周期の最中にいた。誰も想像上の子どもについては話さなかった。貴重な二時間のほとんどを、鍼治療の利点や、フォリスチム［排卵誘発剤］をなるべく辛くないように注射する方法など、もっと差し迫った問題について話しあった。肉体のための時間しかなく、想像のための時間はまったくなかった。

　授業では、ジョージとマーサのたくましい男の赤ちゃんが本物でないということを、内容を言葉通りに受けとめがちな生徒たちが理解するのに幾分か時間がかかった。「どういうこと？」ページを戻りながら「死んだの？　**死んでない**の？　まったく存在しなかった？」と言っていた。しかし、暗い劇場で、第三幕の惨状が眼前で繰り広げられ、生徒たちは理解した。ジョージが「びっくりする話があるんだよ」と威嚇するように勝ち誇りながら宣言するときに、心の準備をする彼らを私は見ていた。

　ジョージとマーサの息子は、悲しみと失望の産物であったが、想像の産物でもあったのだ。やることはあまりない。昼も夜もどうにか時間を埋めるしかなく、たわいない話と子どもについての憶測が、名前がついた男の子を作り二十一歳の誕生日を迎えるまでに変わっていった様子を想像するのは、私には難しいことではない。他の人の本当の子どものように、二人にとって息子はすごく生々しいものなので、武器になってしまう。客人たちの前でジョージは、性的虐待と紙一重の母親の重さをほのめかし、一方マーサは事実息子がジョージの子ですらないかもしれないことを暗示する。

　二人の想像には優しさもある――マーサが、大学で実家を離れた息子が自分にだけ手紙をくれると言うと、ジョージは息子から来た手紙の束を持っていると言う。マーサは息子が安産だったと説明し、息子の「真っ黒できれいな髪の毛で覆われた頭は、後から太陽のようなブロンドになった」と描写する。けれど、最も鮮明な空想は、もし二人に望んだ子どもがいたならば、自分がどんな女性になっていたか――二人がどんな夫婦になっていただろうか――を心に思い浮かべる、思い出の部分だ。「あの子は私たちのちょうど真ん中を歩いていた」とマーサは振り返る。「保護や教えや愛情を求めるように、片手ずつ私とジョージに差し出した」と言う。私が、この戯曲を耐えがたいくらい辛く感じるのは、マーサが微に入り細に入り、日曜に息子に作っていたバナナボートのことを空想するところだ。

「皮を剥いたバナナまるごと一本と、そのうえにアイスクリームを一すくい載せ、みどり色のぶどうを船員に見立」てるのだ。そして「両脇には、つまようじでボートにオレンジのスライスを刺すの。盾ね」

この戯曲が投げかける問いに、ジョージとマーサは子どもができなかったから、こうした性格になったか、この性格だから子どもができなかったのか、というものがある。これは、鶏が先か卵が先かというジレンマで、マクベスやサラや、すべての不妊症のカップルが恐れる無神経なコメントに話が戻っていく。

そしてもう一つの問いは、ジョージがでっちあげた電報を使い、打ちひしがれた客人の前で息子を殺害する部分をどう読み解くべきなのか、というものだ。もし息子を、ジョージとマーサの嘘と裏切りと現実逃避に満ちた関係の、間違った部分だと解釈するならば、殺害は救いの行為となる。何年も前には、私もそう戯曲を解釈したし、生徒のほとんどもそう読み解いている。

「ヴァージニア・ウルフなんかこわくない」とジョージが静かに歌う。

「怖いよ、ジョージ」とマーサは言う。「私は……怖い」

客席の明かりがついた。演劇の先生と私は、さっと涙を拭った。

「ああするしかなかったんだよ」ある生徒が、学校へ戻る途中で言う。

「二人が現実に向き合って、結婚生活に希望が残るように、ジョージはああするしかなかったんだ」

「希望はあるのかな？」私は聞いた。「二人の明日は良いものになると思う？」

「良くはないかも」生徒は控えめに言った。「まし、かな」

生徒たちは直観的に、マーサが想像の息子を作り出したことを、社会規範の逸脱と理解している。先の教皇ベネディクトが、体外受精を人間の尊厳に値しないものとして退けた際に用いた同じ文化的論理を、生徒たちは直観でわかっているのだ。息子の創造は現状を受け入れることの拒絶なのだ。若すぎて生徒たちが理解できなかった部分は、結婚生活の送り方は沢山あって、長い結婚生活を生き延びるには色々なことをしなければならない、ということだ。ジムがもし必要だったら？　緑の瞳やバナナボートだけがマーサとジョージが持つ善きものだったら？　ジムを殺すことでジョージが何か必要不可欠なものを殺しているとしたら？

　こんな風に、リチャードは、ジョージのジム殺しを暴力や残酷性として解釈している。これが理由で、この戯曲を読むのが辛いそうだ。リチャードにとって、空想の人生は幻想の破壊よりも、もっと重要なものなのだ。

　私も同意見だけれど、オールビーの考えが同じだったとは思わない。第三幕は、とどのつまり「悪魔払い」と呼ばれ、オールビーは慎重に、結婚生活には残酷さや遊び以外の維持すべき何かがあると、マーサが認める様子を織り込んでいる。「これまでの人生で、私を幸せにしたのは……一人の男だけ」と、不審そうなニックに向かって彼女は言う。

　それならば、戯曲の題名、ヴァージニア・ウルフの亡霊について、どう考えればいいのだろうか。生徒に向けて、私はウルフが聡明で、何世代にも渡り作家に影響を与えてきたことなど、彼女についての情報をメモにまとめた。私も彼らの年ぐらいに、初めてウルフを読んだことも伝えてもいいだろう。もしかしたら『灯台へ』や『ダロウェイ夫人』を読む時間があるかもしれない。もしかしたら、生徒たちは既にウルフについて知っていることがあるかもしれない。既婚者で子どもがいなかったこと。精神疾患で苦しんでいたこと。ポケットに重い石を詰めてウーズ川に行き、入水自殺をしたこと。

（ヴァージニア・ウルフなんかこわくない。）

（私は、怖い。）

その年のハロウィン、私は学校でミス・ハヴィシャムの仮装をした。黄ばんだレースのデビュタント[10]のドレスに身を包み、蜘蛛の巣に覆われたケーキとトランプのカードをのせたトレイを抱えた。「やつらの心を壊してしまいな！」ヴェールの下から生徒にそう囁いた。他の教員たちもハロウィンの仮装をしてきており、選ぶものにはだいたい自分の教科に関連するものか、自分から見た自分の像が現れていた。野外教育担当の教員は「カヌー事故」をテーマに、偽の血とあざに覆われて出勤した。うぬぼれ屋でハンサムのラテン語の教員はスーパーマンに扮していた。前年には、私はマクベス夫人になり、髪を束ね、両手を赤く塗り、廊下を夢遊病者のように歩いた。

本質的には子どもの儀式であるものに私たちが仮装して、なりきって参加することは、教員を

10 社交界デビューする若い女性が着る。伝統的には白を基調とする。

家族の延長として受け止めている生徒たちを喜ばせた。教員たちと車の相乗りをしたがったり、キャンプをしたがったり、学校での宿泊会では『ドクター・フー』のエピソードを一緒に見たがったりした。踊りの発表会やプロムで写真を撮って欲しがった。Facebookで友人になりたがった。妥当だったり理不尽だったりする自分の本当の親の行動にいらだち、養子にして欲しいと懇願する生徒もいた。

　自分が生徒たちの年の頃、先生たちに同じような近づき方を欲した記憶はないけれど、私はいつも生徒と親しくしており、お菓子を焼いたり、美術館や観劇に誘ったりしていた。学級内の家族のような雰囲気は私が作ったもので、自分の欲するものを表現してもいた。彼らに紹介する小説は——それほど重要でないにせよ、私の書く小説も——重要なものだった。生き方だけでなく、世界の捉え方のパターンだからだ。なぜなら典型的な高校の英語の授業で読む作品は、様々な種類があり、美しく聡明なものが多いにもかかわらず、生殖機能の治療と生殖に関する選択肢に関しての表現は、通り一遍なのだ。この単調さは、自分の家族という文脈を通して自分を理解する必要性を反映しているのかもしれない——私たちは皆（マクダフですら）誰かのもとに生まれてくるのだから——けれど、もし誰かが、私のように子どもを持てないなら？　妊娠するのに医療の介入が必要なら？　もし妊娠を選ばないなら？　その人は何を読めば良いのだろう。

ハロウィンの日、歴史上または文学上の人物に仮装した生徒にボーナス点をあげることを教員たちは提案しており、一部の生徒は『ハリーポッター』や『トワイライト』の登場人物に仮装してきて（私が思うに、わざと）いらいらさせた。でもその年、ある女子が柄物のアフリカンコットンのロングドレスをまとい、目の周りに茎のついたバラの形をした母斑を描いてきた。トニ・モリスン［米国の黒人女性作家］の『スーラ』だとすぐにわかった。この主人公は、生徒たちが自分を重ねられるよりもはるかに性的にも解放され、夫や子どもや定住する家を持たず公然と慣例にとらわれない人生を送った。

「ばか。スーラだよ」クラスメイトの一人に仮装について聞かれて、彼女はそう答えた。それからもっと優しい口調で「大好きなんだ」と言った。

生徒たちは頷いていた。最終的に皆スーラが大好きになっていた。けれど、初めはこの本を読むのに苦戦した。深く埋め込まれたモリスンの作者としての視点や、説明が足りない部分、まさにさりげなくセックスやドラッグや死や精神疾患や人種差別について書くところが、生徒たちの難しい課題になっていた。最後には、私は現状を打開すべく、もっと小さな生徒を教えていた頃のように机の端に座り、全部の章を音読した。その中で生徒たちは両腕の上に頭を載せて座っていた。児童のように。私の子どものように。

In the Peanut Hospital

第4章 ピーナッツ病院にて

母が、手術の名前を言おうとしない。高齢の女性向けだと言い、話したがらなかった。危なくないけど一晩入院するよと言い、手術に付き添い、術後の数日間実家に泊まるよう私に頼んだ。父もいるけれど、父は最近病人として二回も入院していたくせに、病人や病院が苦手なのだ。病気ではないから、と母は念を押した。どこかが**悪い**ということはない、婦人科の手術だよと母は言った。まるで、それが答えになっているみたいに。

私は、母のかかりつけ医が診療をしているバージニア州のサフォーク郊外の病院まで、車で行く算段をつけた。ウェブサイトですらみすぼらしく見えるクオリティ・インの宿泊予約をとった

（小綺麗なホリデイ・イン・エクスプレスと違って、クオリティ・インは両親の飼い犬の滞在も許可してくれたのだ）。

　観測史上最も暑い年の八月だった。ハイウェイ沿いの芝生や雑草は黄色く焼けていた。西部では、農場経営者が家畜に餌を与えるのに苦労していた。藁は高価で、水は貴重だった。ノースカロライナの干ばつ状況を示す地図では、すべての郡が危険を表す赤茶色を示しており、我が家の井戸も慎重に使う必要があった。手早くシャワーを浴び、洗濯サイクルも短時間にして、お客さんも呼ばない。「ノースカロライナ州北部を流れる」ホー川はお風呂にためた水くらいまで干上がり、短い距離しかカヌーのパドリングができないくらい水位が下がっていた。

「私がうっとうしいなと思うのは」ある生物学者の友人が、以前一緒に川に出たときに言った。「自分のどこかが悪いっていう考え方だな。自分が損なわれていて、欠陥品みたいな考え方」

　彼女は強く、健やかで、美しくて、成功している。そして不妊でもある。お互いの共通の病状が理由で、二人の悩みを知る共通の友人を介して出会った。もちろん損なわれてなんかいないよ、と私は彼女に言った。でも、体は本人の望むように働いてはくれず、それは私の体も同じだった。

　自分に何か悪いところがあって何が悪いのだ、と私はヴァージニアへ向かう車中で考えた。ごうごうとうるさいエアコンをかけないと暑すぎたので、窓は閉めていた。母が手術について説明しないのと同じように、私も、母には不妊症や治療についてほとんど話していなかった。壊れたところ、少なくとも女性の体の壊れた部分については、私と母の間ではめずらしく、まったく何も語られなかった。

アドリエンヌ・リッチ[1]は、『女から生まれる』という自身の回想録と、母親の在り方が家父長制度に影響されていることへの文化批判を記した著書の中で、若い女性は健全さ、勤勉さ、そして子どもを産む能力を、社会に対して示す必要性を感じる、と書いている。二十四歳で結婚した当時すでに本格的に詩人になっていながら、リッチは結婚式の翌日、「**これが女性のしてきたことなのだ**」と考えながら、ほうきを持ったことを回想している。リッチは、母であることが自分の大志に影響することに、相反する感情をもっていた（第一子を出産する前に、リッチはイェール大学のヤンガー・ポエット賞を受賞しており、結婚前は、旅することとジャーナリストになることを望んでいた）けれど、リッチは「子どもを持つことは、大人の女性としての役目を最大限に担い、自分が『他の女性たちと同じ』であることを証明すること」なのだとわかっていた。短い期間の中で三人の息子を産んでいるが、妊婦として感じたことをこう書いている。「思春期そして大人になってからの人生で初めて、罪悪感がなくなった。道ばたの他人からすらも感じた、自分に浴びせられた承認の雰囲気は自分のまとうオーラのようで、その中では猜疑心、恐怖、不安は絶対的に否定された」

妊婦の体は、私たちがよく知っている気がする物語を連想させる。健康、愛、幸福。妊娠が、実際には女性をさらなる貧困に陥れ、暴力や病気にさらす傾向がある危険な状態だということは――本を書ける可能性がおそらく低いことも――あまり語られない話題だ。代わりに、私たちが早いうちから学ぶのは、女性の体特有の不便さ（生理があること、ブラを着けること、妊娠することもしないことも）は、行儀良くこっそりと、恥じらいさえしながら苦しむべきだということだ。女性の体に関する疑念、恐れ、心もとなさについて話してはいけないということを学び、代わりに目に見える妊娠という状態を祝福する。理由はそれが目に見えて明らかだからというだけでなく、妊娠は、女性に**与えられる**もので、女性が耐え、享受すらするものと（間違って）見なされ得るものであり、どうにかしなければならないものではないからだ。

私自身の母も、一九七〇年代の妊娠が、どれだけ自然で直観的であったか懐かしそうに振り返る。二回の妊娠でいずれも超音波検査はなかったものの、私が女の子で弟が男の子だと「わかってた」そうだ。実際、母は医者に行かなかった。私たちの住む郡には、母が私を妊娠して七か月

1 アメリカの女性詩人・批評家。『女から生まれる』は一九七六年に出版された。

になるまで産科医がいなかったのだ。そして、その医師と母は私の予定日で意見を違えた（母が正しく、医師は一か月ほどずれていた）。どちらの出産も自然な分娩だったというのが、母が教えてくれた話だ。

ただし、後から知ったけれど、母は私の分娩の終盤に、鎮痛剤を静脈注射してもらっていた。もちろん麻酔でも［無痛分娩に使われる］硬膜外麻酔でも鎮静剤でも、母がどんな痛み止めを必要としたかを批判したりしない。そしてリッチはこの三つを自身の出産で経験している。けれど母には、私を出産した話を、自然の成り行きにまかせた完璧な体験にする必要があった。「あなた、泣きもしなかったんだから」と母はいつも誇らしげに言っていた。

金髪で、身長百五十センチ弱、体重四十五キロの母は、愛車の十四年もののメルセデスベンツのステーションワゴンで、枕の上に座りハンドル越しに頭を伸ばし前を見ていたところ、盗難車を乗り回す子どもに間違われて郡保安官に止められたことがある。学校の遠足で、付き添いの保護者であるのに、母はしょっちゅう先生たちに生徒に間違えられていたし、あるとき昼食の袋から何かを出そうとしていたら髪の毛を引っ張られたことがある（生徒に対してこうした行いが適切かどうかはまた別の問題だ）。母の生活様式は、独特だった。薪ストーブで火をおこす方法は知っているのに、自分の車のガソリンの入れる口がどこかわからなかった。母にいくつもEメールアカウントを作ってあげても、たったの一度もチェックしたことがない。小柄なわりに骨太で、大きくて節くれだった芸術家の手をしていて、X脚だった。母の靴（たくさん持っているのに、スニーカーは一足も無かった）は全部デッキシューズだった。脊柱側湾症で、幼少期に矯正されなかったため、胴がとても短くて、不釣り合いなほど手足が長く痩せていた。ボートを漕ぐのもカヤックも水上スキーもとても上手で、目的地に向かうニューヨーカーみたいに歩いた。一方で、母が走るのも団体競技のスポーツをするのも一度も見たことがない。

　祖母が亡くなる前、うちの親族の女性たち（祖母、母、おば）が毎年同じ日に一緒にマンモグラフィー検査を受けるのは、習わしとなっていた。広く知れ渡ったピンクリボン運動のおかげかもしれないけれど、乳房の健康状態は、女性の他の健康問題とは違う領域に存在するらしく、気まずさの種になるどころか絆を深めるきっかけとなるようだ。マンモグラフィー検査の日、母、おば、祖母は順番に検査撮影器の前に立ち、その後ランチとペディキュアをしに行っていた。

　私が大学生のころ、リッチモンドの私のアパートメント近くにあった専門病院で、母が再検査の予約を取ったことがあった。私も同行し、待つのに付き添ったけれど、母が診察室に入っている間——それが何時間にも感じられて——私は花柄の壁紙の待合室でパニック発作を起こした。

突然左の肺があばら骨に入り込んで引っかかってしまったかのように感じた。母が戻るまで、椅子に座っていられず、前のめりにかがみ込み、呼吸も浅くなった。機械の不具合だったたって、と母は軽く言った。私の呼吸と姿勢が元通りになるまでその日一日かかった。

　子どもを生む前は、母を失うことがいつだって自分にとって一番恐いことだと想像していた。現実逃避する人が、地球温暖化や水不足や避けられない大災害がずっと先の話だと思うみたいに、私もそのことを考えないようにしていた。ヴァージニア・ウルフは自分の母の死を「起こり得る最悪の惨事」[2]だと振り返っている。ウィリアム・マックスウェルという、やはり母を若くして亡くした別の作家は、自分の母親の死を『So Long, See You Tomorrow』という小説の中で、「起こり得る最悪の出来事」と書いている。

「それが起きてしまえば」と彼は続ける。「惨事なんて何もなかった」

　マックスウェルは、自身の家族を襲った衝撃的で話もしたくないような絶望という、差し迫った雰囲気の回想を、孤独な置き去りにされた少年の視点から書いている。ウルフは自身の母親の死について直接触れており、それは見捨てられる体験で、自分の人生が終わるまでこの体験は続く、と書いている。

　子どもがいないことは、変わった形で私を母へと結びつけた。私の年齢の頃の母は、子を二人産み、お弁当や夕食を作ったり放課後活動の監督をしたり、家を回すことで忙しくしていた。自身の母とも定期的に話をしていたものの、私みたいに毎日ではなかった（子どものころ私たちが住んでいた農場には、しばらくの間電話自体なかったし、その後も共同電話しかなかった）。

　リチャード以外では、母は私が一番よく知っている人で、人生の大きな節目にはすべて立ち会ってくれると私は思っていた。初めての出版ツアーの一部にも同行してくれ、朝にはコーヒーを買ってきてくれ、その道すがら財布（ウォーカートンのファーマーズマーケットで花を売って稼いだ現金が詰まっていた）を失くしたりしていた。地下鉄の路線図は上手に読めるのに、ガムを踏み気絶しそうになっていた。私は財布を見つけ、母が履いたままのサンダルを氷で冷やし、ガムを靴底から剥がした。母は私の面倒を見たし、私も母の面倒を見た。

　思うに、母を失うことを想像したときに私が一番恐れたのは、家族や女性的なものとの繫がりが無くなるということだった。数年後、マンモグラフィー検査で私が順番を待つのに、誰が付き添ってくれるのか。弟が、自分と私を「子どものいないいとこ」と呼んでいたのは、他の成人しているいとこには皆子どもがいたからだけど、私たちは私たちなりに**子どもでいた**のだ。何か違

2 ヴァージニア・ウルフ『存在の瞬間（Moments of Being）』からの引用。

成したら、認めてもらいたくて親に報告していた。自分たちの親族の中に、子どもがいないロールモデルはいなかった。サーファーのおじには息子がおり、その息子にも二人子どもがいた。感情的に落ち着きのないおばにも、二人大学生の子どもがいるとのことだ。父の二人のきょうだいは数人子どもがいて、その子どもも数人子どもがいて、この時点でもう何人かわからなかった。一方、**私たちの**両親は何年も孫代わりの犬と猫の話をしている。

私は、親の飼うミニチュア・シュナウザーで小さな子みたいなガスと、母が病院で手術前の事務手続きを終えるのを待っていた。そして父は駐車場をうろうろしながら、携帯電話で話していた。

ミニチュア・シュナウザーは飼い主の一人に熱烈に懐くことで知られていて、ガスは母が離れると大いに悲しむ。しゅんとして、ガスは熱い歩道の上、私の足下で四肢を広げ突っ張らせていた。時折、ウォーカートンのご近所さんが病院の自動ドアから出入りするのに気がつくと、その見知らぬ人がガスを可愛がることもなく去って行くまで、耳をぴんと立たせ気をつけの姿勢をしていた。

病院にはあまり好感が持てないね、と母は戻ってくるなり、かかんでガスが差し出す前足を受け止めながら言った。**家から遠いし、中にいる人は皆病気みたいな顔してる。ほんとの病気ってことじゃないよ**、と母は言った。**人生に病んでそうっていうか。何でとっとと病院を変えなかったん**

だろう。彼女の母親はもう亡くなっていて、私のおばとも全然話をしていなかった。そのうえ、私たちときたら。サフォークでしんどい思いをしている[3]。

モーテルには、にごった緑色をしたプールがあり、禁煙の部屋も煙草くさかった。南京虫がいないか入念にベッドを調べたり、なんとなく噛まれた気がして肌をかいたり、大して代わり映えのしない部屋に替えてもらったり、敷地のはずれの日陰でガスが用を足せるように連れて行ったりして時間を潰した。この町で唯一客席があるレストランで、私たちは最初のお客だった。

翌朝、母を手術センターに連れていった。別れのキスをしたとき、ストレッチャーに乗った母はかつてないくらい小さく見えた。別に手術の心配をしていたわけではなかった。（手術の名前も目的も知らなかったけれど）リスクが低いものだったし、病院で一晩入院するだけだとわかっていた。反対に父は、三つのバイパス手術を受けた後一週間入院していたし、術後の再手術では死にかけ、さらに長く入院していた。その経験をしてから、父は変わった。最近は時々足が痛みすぎて歩けないことがあるし、お年寄りを連想させる、死を予期するようなぶっきらぼうな発言をしがちだ。そんな風に、手術が母を変えてしまうのではないか、ということを私は恐れていたの

3 Suffering in Suffolkという語感の似た言葉を並べたジョーク。

だと思う。

父と私で順番に病院を歩き回った。この病院は、ピーナッツで財をなしたプランターズ社のオビチ家からの寄付を記念して名前がつけられている。〔同社のブランドである〕ミスター・ピーナッツのマスコット像がロビーで患者を出迎えてくれる。売店では、「豆みたいに小さい《リル・ピーナッツ》」赤ちゃんグッズ――つなぎやらよだれかけや毛布など――が揃って売っていた。けれど、病院の記念展示で、寄贈者のアメディオとルイーズ・オビチ夫妻には子どもができなかったと知った。代わりに、二人が地域の子どもたちの支援という慈善事業に力を注いでいたことを、展示が物語っていた。

私は、初めての体外受精の治療周期の只中にいる地元の二人の友達を思った。私は今月のピアサポートグループの集まりに出られないけれど、九月に自分が話す番を使って、母が名前のわからない婦人科の手術を受ける間ピーナッツ病院をうろついた話をするところを想像してみた。これは、ピアサポートグループに参加することの一番好きな部分だった――前月一番落ち込んだことや変わった出来事について事細かに物語るのだ。でも、最近はもっと実用的な話し合いばかりになってしまったように感じていた。どの医師に相談すべきか、どの薬を服用してみるか、どの薬をどこに注射するか、などについて。もしかしたら、これは逆に進歩なのかもしれない。実用的な話はもっと希望に満ちたものなのかもしれない。私も、前月熱心に説明されていた内服薬もサプリメントも注射も効かなかったと聞かされるまで、時折こんな風に思っていた。実用的な話が破綻するのは、妊娠するという、たった一つのことだけを目的にしていたからだった。自分の話はもっと柔軟にしておく必要があった。

母が泣きながら麻酔から覚める。よくあることだよ、と麻酔専門の看護師である友人が後で教えてくれた。十代の男の子だと喧嘩をしたりするし、高齢の女性は泣いたりするらしい。

母の隣に立ち、手を取った。「どうかしたの？　どこか痛むの？」

「きょうだいのことで泣いてるの」と母はきつい口調で言った。

「おばさんに電話してあげようか？」

「やめて！」

祖母が亡くなり、財産をめぐる醜悪な争いがあり、母はおばと一年以上ほとんど口をきいていなかった。おばは、祖母宅を公開して遺品を売りたがった。母はそれを悪趣味で軽率だと考えた。それに、母は全部自分に欲しかったのだ。その後、祖母の生前におばが銀行口座を荒らしていたことを母は知った。今では、私たちはおばの名前を出すことすらできなかった。これも子どもがいることの利点だな、と思った。繋がりが多くあれば、いくつかの繋がりを手放すこともできる。

　看護師は笑顔の中年女性で、母の脈拍や血圧などを見てくれたものの、母の涙や吐き気は心配していないようだった。まるで、母に感謝の気持ちが足りないみたいに、**私だって**お母さんの受けた手術を受けられたらいいのにと言うので、私は再び、何の手術だったのか考えてしまった。華々しいものではないのは確かだ。それに何故、この女性は病院の看護師なのに必要な手術が受けられないのだろうか。

「出産が原因で」と看護師は教えてくれた。「尿が漏れてしまうんですよ」

尿漏れ？これは、明らかに母が私に知られたくなかったことなのに、看護師はまるで母が部屋にいないかのように話していた。私は、病院のベッドに小さくなり苦痛に身をよじる母を見やった。

「母に何か必要じゃないかと思うのですが」と私は看護師に言った。「吐き気に」

皆さん何か必要だって仰います、と看護師は答えた。**普通ですよ。**

　私は母の手を握り、気分を和らげようとジグ[4]を踊った。こういう子どもっぽいことや気をそらすことは、私はやり方を心得ていた。「しんどいサフォーク」の冗談をもう一度言い、聞こえない距離で看護師をからかった。

「ここに泊まろうか」と、窓際の見舞客用の簡易ベッドを叩きながら私は提案した。「モーテルよりきれいだし」

父は、長電話から戻るとそのアイデアに賛成した。自分はウォーカートンの自宅に戻り一晩よく寝て、明日の朝迎えに来るそうだ。さっさと車に荷物を積み、私の鞄を差し出すと、楽しんでね、お大事に、愛してるよ、と言い去っていた。


私の両親は進歩主義でリベラルであるものの、連れ添った四十数年の中、伝統的なジェンダーの役割を当たり前のものとしてきた。母が料理をすべて取り仕切り、フライドチキンやバーベキューもした（自分はベジタリアンなのに）。父は、築二百年の家で不具合がでそうな物をいろいろ修理していた。母は専業主婦で、空いた時間に絵を描いていた。父は大工と建設業者として働いていた。とりわけ、必要とされる家族の世話を母がほとんどしていた。父の母が癌で亡くなる前も、母が世話をしたし、その前には、やはり癌で亡くなった父のきょうだいの世話もした。

十年ほど、母の祖母ドナの経営する老人ホームで育った母は、そこで必要とされる優しさとタフさが入り交じったもの、強い意志、物事に動じないこと、内服薬と時計と洗濯物に常に注意を払うことなどを学んだに違いない。ドナのホームの入居者は、どちらかというと贅沢な暮らしをしていて、銀の茶器や陶器やアイロンがかけられたリネンなど、自宅で持っていたようなものに囲まれていた。各部屋のドアは開け放たれていて、ケイ・トンプソン[5]の甘やかされてほったらかしにされていた『エロイーズ』[6]に強く自分を重ねた母は、入居者たちを毎日訪ねては、おやつをねだったり、変な顔をしてみせたりしていたけれど、自分の周りでは、入居者が清潔で、きちんと食事をとり暮らせるよう常に作業が行われているのを見ていたのだ。夜になると一部の入居者は脅え、曾祖母か他の看護師がなだめに来るまで叫んだりうめいたりしていた。一度、死にかけている男性に蘇生法を試みている最中に看護師が気絶して、ドナは彼女をベッドの下に蹴っ飛ばして胸骨圧迫を続けたそうだ。ドナは職員たちを徹底して礼儀正しくあるよう教育し、障がいや病気を決まり悪そうな婉曲表現で言い換えた。失禁する患者には、水を抜く必要があるかという聞き方をしていたそうだ。

　私も時々、自分がこの優しさとタフさを受け継いでいると思う時がある。二十代の頃教えていたブルックリンの小学校で、私はいつも潔癖な人の代わりを頼まれたし、他の教師の受け持ちの不運な小学校準備クラス[7]の生徒が、トイレでお漏らしをしてしまったのを全身きれいにしたことも覚えている。用務員さんが、女の子の横にかがむ私と箱からどんどんなくなっていくウェットティッシュに気づき、頷きながらこう言った。「あなた田舎育ち《カントリーガール》でしょ、ボグス先生」

それは、その学校でもらった最高の褒め言葉の一つだったし、予期せぬ混乱に対処しなければいけないとき、私はこれを思い出すようにしている。けれど祖母がアルツハイマーになったとき、私はほとんど役に立たなかった。母と私でお見舞いに行き、祖母ジーニーの世話を自分たちでしなければいけないとき、いわゆるトイレ周りで私は役に立たなかった。母が全部やった。トイレまで付き添って歩き、便座に座らせて、お尻を拭いた。その間、私は廊下に立ってファブリーズをまいていた。

母も、自分の母の世話には苦労していた。ジーニーが入れ歯を（しょっちゅう）取り出すのに耐えられなくて、「入れ歯つけて、ママったら！」と泣きながらそっぽを向いた。祖母ジーニーが私たちの関係や仲が良かったことをほとんど認識しなくなった当時、母が祖母を、子どものときの言い方でママと呼ぶのを聞くのは、痛々しくて胸を打つ何かがあった。

あるとき、昔ジーニーが私に読み聞かせてくれたかもしれない『星の王子さま』を、私がジー

5 米国人の歌手、絵本作家。
6 高級ホテルのスイートルームに住むお金持ちの女の子を描いた絵本のシリーズ。
7 米国の小学校は、日本の年長の年齢に相当する子どもたちが通う小学校準備クラスが併設されていることが多い。

ニーに読んであげていると、「私のお母さんどこ？」と聞かれたことがある。

「ここにいるよ！」と母が答えた。「どうしたの？」

　母が、自分の母親の母親だと名乗る様子に、後悔も自己憐憫もなかったのは、おそらく母が、私という子の母親だったからだと思う。こうして形を変えながら、子どもから看護師、そして親へと行ったり来たり変身するというのは、他者のお世話をする人の巧みな芸当で、私にはできないものだった。私は、母にとってだけの母親になり、傾いた軌道のように、自分だけがいずれ一人取り残されるのを恐れた。


　午後半ば、母が眠っている間に散歩に行くことにした。自分の携帯電話の番号を病室内のホワイトボードの「今日の目標」の隣（「吐き気をどうにかする」「歩く」）に書き残した。左に曲がり黄色っぽい廊下を歩いて行くと、新生児室に隣接した棟に出た。おじいさんやおばあさん、子どもたちなど、ピンクやブルーの風船や花束やテディベアを抱えて待っている人たちがいた。**あの子です**、と誇らしそうな父親がガラスを指さして言っていた。私はそちらを見ずに携帯電話を取り出し、弟の番号を探した。

「私が帰ったらキャセロール[8]かなんか作ってよね」と外に出るなり弟に偉そうに言った。太陽は燃えるようで、歩けるような日陰がないどころか、草の生えた場所すら全然なかった。私もかつて自分自身の子の誕生を――私たちを待つ人たちのことも――想像していたけれど、今では弟と弟の妻が分娩室に入っている間待つことになる覚悟を決めていた。弟夫婦はまだ子を授かったわけでなかったものの、自分が嫉妬するのを想像して怖かった。二人がおそらく持っているだろうと思われる能力に対して、私はすでに嫉妬していたし、それを恥じていた。

「きついよ」と弟に言った。

「わかってるよ」と言い、弟が続ける。「ごめんね」

母の病室へは違う経路で戻った。テレビを見たけれど飽きたので、しばらく自分のラップトップで、以前一度だけ寄稿した雑誌の、不祥事を起こした元編集者から届いた、ほぼ公開書簡のような暴言メールを読み上げ、母を面白がらせた。大文字で書かれた部分は叫び、足のことを卑猥に書いた部分は声を低くして読んだ。酔っ払いの絡んでくる人のように演じ、馬鹿みたいに下品な部分を読んだ。

「だめだ」母は脇腹を抱えて言った。「笑うと痛いよ」

8 オーブン料理。病気や不幸があったときに差し入れされることが多い。

母は私の腕を掴みトイレに行ったものの、出血用に渡されたおむつほどの大きさのナプキンを取り替える手伝いは断り、まごつきながら自分で交換し、その間ドアは閉めていた。私はいまだにどんな処置がされて、何を縫ったとか、切ったとか、どんな内部の調整をしたのかさっぱりわからなかった。Googleで検索もしなかったし、そっけない看護師に詳しく尋ねたりもしなかった。母は「**間違った**感じがする」としか言わなかった。少し前に手短な回診で、すべてうまく行ったとしか医師は言わなかった。

外が暗くなると母は眠ってしまったので、私は、パッドが敷かれた狭い簡易ベッドにかき集められるだけかき集めた病院のうすい毛布を重ねて、横向きに寝そべった。私はすぐ眠れるし、これは農場で育った子どもの才能だ。ただ、一度起きるとなかなか再び寝つけない。真夜中を少し過ぎた頃、騒音に気づいた。はじめは夢の中のように弱く抑えられていて、廊下のドアが開くと大きくなり、私の意識は冴えた。誰かが痛みにうめいていて、他の誰かが、静かにするようなだめていた。しばらくそれは続き、母も痛み止めが切れたらうめき始めるのではないかと、怖くなったことを覚えている。

私は、その静かな棟に入院している全員が、母が受けたまだ名前もわからない婦人科の手術や同じような軽度の処置を受けたのだと想像していた。けれど、間違いようのない音の原因である、驚いたような突然の赤ちゃんの泣き声が、母の病室の真隣から聞こえてきた。

産科病棟が近くにあると、新生児室を通り過ぎながら思い込んでいたけれど、実は私たちは産科病棟内にいたのだ。そして周りでは、一晩中女性たちがうめき、うなり、いきんでいたのだ。彼女たちの、完璧でめちゃくちゃで弱々しい泣き声をした奇跡みたいな小さな赤ちゃんは、生まれ、毛布にくるまれ、母の腕に戻り、抱きしめられ、授乳され、手足の指の数を何度でも数えられているのだ。**これが私にとって一番近い体験なのかもしれない**、と私は思った。まったく完璧にひどい考えだったけれど、自分の年老いた母が三メートルも離れていないところで眠る中、自分の周囲では女性たちが分娩しているのが、まるで宇宙からのメッセージのように感じた。**私が体験できるのはここまでだ**、と。

頭まで毛布をかぶり、うすい枕もかぶった。今では簡易ベッドの上に敷いたシーツはめくれ、滑らかなビニール質に自分の顔を押しつけた。私は泣いた。ただし考えに対する反応という慣れた泣き方や、泣くのを我慢するのを諦めた泣き方ではなかった。みじめで受け身で、自分の脳とほとんど繋がっていなかった。生徒が物語を書く際に、いつも注意する類の泣き方だった。「目に涙をたたえた」とか「涙が頬をつたった」とか。涙で私の顔はクッションに張り付いた。

翌朝、母もお産をする女性と泣いている赤ちゃんの声が聞こえたと言っていた。「ごめんね」母は言った。「ひどいよね」と、まるで苦しみを隔離する場所であるかのように、女性を皆病院の一箇所に集めるなんて馬鹿げているし時代錯誤だと、サフォークという場所を責めた。

　苦しみは確かに起きていたけれど、隔離されてもいなければ、恥じるような場所でもなかった。産科病棟は、私の通うピアサポートグループがある病院でも同じように、病院の中心で、病院の中で唯一皆が喜んで行くとされる場所だ。一部の人が、脅えながら一人で悩み、または悲しみながら産科病棟に来て帰って行くことは語られないことなのだ。出産の体験は、人によって何十年後かに修復の手術を要するということや、産科病棟は一部の人にとって辛い場所だということも、文化から取り除かれる部分なのだ。

　でも、今日は母の気分は回復していた。自分で起き上がり、トレーで運ばれてきた朝食を少し食べることができた。看護師たちが来ては去り、血圧と体温を測定した。自宅で対応できそうなら退院できそうな具合ですよ、と看護師に言われた。**もちろんできます**、と二人揃って答えた。退院の手続きが進められた。

　その後、医療従事者の作業着《スクラブ》を着た別の女性が現れた。その首にはフラッシュがついた大きなカメラがかかっていた。母に対して微笑むと「赤ちゃんはどこです？」と尋ねた。「いつも私が来る前に新生児室に連れていっちゃうんですよね」

母は年齢確認をされるのを喜ぶ人で、警官に子どもだと思われても気にしなかったので、笑い返して手を振った。「私が赤ちゃんなの！」母は言った。
「赤ちゃんはいません」私は説明した。

陣痛の耐えがたい痛みに苦しむ、見ず知らずの誰かに嫉妬するなんておかしなことだった。バージニア州サフォークで分娩していた女性と入れ替わりたいとは思わないけれど、生物学者の友人が言っていたみたいに、私も、同じ体験をした人間のコミュニティに入れないのが不公平だと思った。アドリエンヌ・リッチは「後悔を享受しつつ、プライバシーと自由のある人生を過ごす、子どものできない女性」に対する嫉妬について日記に書いている。これもまた女性たちが沈黙しつづける、妬みに関する現実だ。リッチは最後には、「子どものできない女性」という言葉をしりぞけ、そのすぐ次の段落で、子どもたちへの愛について言及し、絶対に子どものいない人と入れ替わりたくはないということを、それとなく示唆している。

やはりうだるような熱さの日にウォーカートンに車で戻る道中、リチャードに、病院での夜にどれだけ自分が疎外感と孤独を感じたかという話をしたら、どういう過程を経て女性たちが入院していたかわからない、ということを彼は気づかせてくれた。リチャードは、もしかしたら誰かもうちと同じような問題を抱えていたかもしれない、と言った。もしかしたら、体外受精に挑戦した結果子どもが生まれたのかもしれないと。「どうだろうね」と私は言った。私は筋が通った視点もポジティブな視点も欲しくなかった。

母のために生理用ナプキンと食料品を買った。数日間泊まり、料理と洗濯をして『ファッション・ポリス』[9]の再放送を母と一緒に見た。サフォークでの滞在や手術のことも産科病棟のことも、母もいつかお祖母ちゃんになるのかどうかについても話さなかった。私のどこが悪いのかや、母のどこが悪いのかについては話さなかった。

「母と娘というのは、言葉で伝えられる女性が生き抜くための知恵を越えて、潜在意識下の破壊的な、言語習得以前の知識を常にやりとりしてきているのだ」と、リッチは自分の回想の中心となる、最も難解で重要な章で書いている。「片方がもう一方の体内で九か月を過ごした、両者の似通った体の間で流れる知識」なのだ。リッチは、分娩中に自分の母親に強く精神的に結びつきを感じた女性たちや、自らの子を授乳する最中に突然自分の母親の匂いを思い出した女性たちについて説明している。月経も同じく、女性となる儀式への手ほどきなのだ。けれど、予定通り出血しなかったり、出産に耐えられなかったり、授乳できなかったりする傷ついた体はどうなるのだろうか。年老いていく女性の体は？　入院中の女性の体は？　ある面では似なかった、女性から母になることの軌道から外れてしまった体は？

以前ウォーカートンの家の隣に、気難しくエキセントリックな母子が住んでいた。ミス・アンは家主で、ミス・ディードラは面白くて言葉遣いの悪い娘だった（「何だってんだよ、ママ！」というのが、娘の方を最も連想させる言葉だ）。二人が亡くなったあと、空き家となった家の裏手の物置小屋の中に、ミス・ディードラのパーティードレスが詰まったふた付きの洗濯かごを見つけた。それは肩紐のない、着心地の悪いコルセットで張りを出した軽薄なパステルのパーティードレスだった。母と私は、物干し用ロープに干してから、衣装や家の飾りにするために、クローゼットにしまった。

サフォークから戻った翌日、私はそれを全部試着して、息を吸ってお腹をへこませてファスナーをあげて、猫の餌皿がちらばったデッキで派手な動きをしてみせた。母は足を伸ばせる長椅子に、紫の帽子と黄色いナイトガウンを着てマルディグラ[10]のビーズをつけて休んでいた。私は『グレイ・ガーデンズ』[11]のリトル・イディみたいに自分の髪をスカーフで覆い、衣装用の宝飾品をま

9 セレブのファッションを批評するアメリカのテレビ番組。
10 ニューオーリンズで開催される謝肉祭のお祭り。独特のビーズを山車から投げる。
11 ジャクリーン・ケネディ・オナシスの叔母とその娘を題材にしたドキュメンタリー映画または同名のドラマ。

とった。私たちは順番に、まだ子猫だったタッドポールとハッシュパピーという、母の十一匹の猫の中で一番人に慣れている猫を抱っこして、写真を撮った。

今その写真を見返して、母を見つめる。二人の子を持つエキセントリックな女性で、絵や彫刻はいつでも人にあげてしまい、愛するドナのような、孫を溺愛するお祖母ちゃんになることを夢見て、住む町の野良猫みんなに餌をあげ避妊と去勢手術を受けさせて、「くそみたいな銀行」に小切手を書いて、共産主義も資本主義に比べたら悪くなさそうだねと言って子どもだった私を怖がらせていた。ヨーロッパには行ったことがないけれど、時々、私と一緒に行こうかなと言ってみたりする。七つの羽毛枕の上で眠り、ガムを噛む行為を恐れている。私と弟がこれまであげた紙をすべてポートフォリオに挟んで取っておいてある。彼女の母親もまた、寝室の衣装箪笥の中に同じようなコレクションを集めていた。その母親は死に、一人残されたけれど、彼女には娘がいる。

そして、サングラスとクリノリン[12]と子猫の後ろにいる私は、採血で失神するし、スポーツはすべて苦手で、母のように二人子どもを持つことを夢見ているけれど、ヨーロッパには行ったことがあって、本も一冊出していて、一番好きな先生にも一番嫌いな先生にも選ばれたことがある、従順だけどあまり役に立たないところもある娘だ。写真の背景では、百日草とアラゲハンゴンソウが伸びすぎた庭で、サルスベリが紙吹雪のように散っていた。とても湿度が高い日で、写真を見返すと、サングラスを曇らせた蒸し暑い空気を感じることができるし、見慣れた写真で、日の傾き方で、正確に何時ごろだったかもわかる。

八月九日の午前十一時、母の六十二歳の誕生日の七日前、私の結婚十周年記念日の八日前だった。写真の中で私たちは若く、そして健康そうだ。

12 スカートに膨らみを出すための鳥かごのような骨組みの下着の一種。

妊活中のカップル（妊活歴の長い人々にはＴＴＣ［trying to conceive の略］と呼ばれる）の間では、「二週間待機」というものがある。排卵から妊娠検査薬で陰性か陽性がわかるまでの待ち時間のことだ。ネットの掲示板は、この二週間待機の間に何をすべきか、というアドバイスで溢れている。映画に行けとか、ディナーに出かけろとか、ヨガのクラスを受けろとか、マッサージを受けろとか、妊娠したかを考えることから気を逸らせることなら何でもだ。リチャードと私は、自宅近くの川へ散歩に行くのを好んだけれど、気を逸らすのは上手ではなかった。しばらくの間、とりわけ経口薬と人工授精の治療をしていた頃は、毎回川へ散歩する度に、**もしこうなったら？**

という話になっていたように思う。もし今月妊娠したらどうする？　もし一月に子どもが生まれたらどうする？　二月なら？　三月なら？　何か月もがあっという間に過ぎて四十七か月が経ち、次のステップについて決断するときがきていた。

　ヨガや映画に行く代わりに、ある二週間待機の間に、私は大学の研究室に胚培養士を訪ねた。体外受精が、私たちが不妊を克服できる可能性が最も高い治療だということは、私やリチャードや不妊治療のかかりつけ医には既にはっきりわかっていた。それでも費用のこと、挑戦して失敗したとき自分たちがどう感じるか、自然には発生しない、命を生み出す手段を増やすことへの倫理的な懸念について、大きな疑問があった。

　体外受精治療は未だにそこまで一般的ではなく、不妊カップルの五％未満のみが選ぶ治療法であるにもかかわらず、それに対して皆が一家言を持っているようだ。女性の体に対して何がなされるのか、残りの胚をどうすべきか、治療に健康保険が適用されるべきかどうか。理性的で愛情深い友人たちや家族から、ありとあらゆる種類の役に立たないことを言われた。体外受精で授かった子どもは自閉症になりやすいとか、体外受精をすると癌になるとか、鍼治療やらハーブやら牛乳をもっと飲む方がいいとか。

　だから政治家たちが、ほんの少しの細胞が置かれたシャーレの中に強力な物語を見いだし、議論に加わるのは何も驚かない。一九七二年に連邦最高裁判所で、仮名の上訴人ジェーン・ローの代理人として弁論[1]を行った弁護士サラ・ウディントンは、胎児に人としての地位が与えられるべきかどうかと、その場合は彼女の主張はどうなるのか尋ねられた。「難しい裁判になるでしょう」と彼女は認めている。一九七三年の最高裁の多数意見を執筆した、ハリー・ブラックマン判事は「もし、この人間としての地位という考え方が確立されると、胎児の生存権が保障され、（ローの）訴えは崩壊してしまう」とし、胎児の人間としての地位について裁判所が評決を下すこともなければ認めることもないと記している。

　この認知された抜け穴——胎児また胚を人間として認めるか——は、中絶を法律で禁止しようとする近年の運動の原動力になっており、胎児殺人の法律制定や、薬物依存症の妊婦の刑事訴追や、死産の赤子に死亡証明書を発行する慣例の動機を裏づけるものだ。二〇一二年の共和党大会の前に、Personhood USA[2]が共和党の大統領候補たちに、人間の生命を「育成のあらゆる過程で」保護するという誓約に署名するよう迫った。七人の候補者のうち、リック・サントラム、ミシェル・バックマン、ニュート・ギングリッチ、ロン・ポール、そしてリック・ペリーの五人が誓約書に署名をし、カソリック改宗者であるギングリッチは、体外受精治療への具体的な懸念をこう示した。「体外受精治療をするというのは、命《ライフ》を創造しているのだ。したがって、そうした治療を行うクリニックに対しての規制をどうすべきか真剣に調べる必要がある。なぜならば命を作り出しているのだから」

「多くの政治家は、きっと体外受精治療クリニックに足を踏み入れたことがないでしょうね」

ノースカロライナ大学医学部の上級の胚培養士であるシルヴィア・ラモス博士に、ギングリッチの言及していた胎児の人格の議論について尋ねると、そう言われた。ブラジルで生まれたラモス博士は、訛りがあり、興奮するとさらにそれが際立つのだけれど、治療や患者とのやりとりやマウスの卵巣の研究など、業務のほとんどすべてが彼女を興奮させるものだ。けれど、自身のラボを政治問題として扱うことに対しては否定的だった。「ここで何が行われているかを知るには、科学への理解を持つ必要があります。生物学の知識が必要なんです」

　私の胚の発達に関する生物学的な知識はさびついていて、学生の頃のうろ覚えの情報ばかりだったけれど、ラモス博士は忍耐強く熱心に、体外受精治療の過程を説明してくれた。それは、女性の卵巣から不妊治療専門医が採取した卵子を、博士が受け取るところから始まる。無菌のラ

1 女性の人工妊娠中絶の権利を争った裁判。ロー対ウェイド裁判（Roe v. Wade）として知られる。
2 胎児の人格を訴え中絶反対運動をする米国の政治団体。

ボで、博士はそれぞれの卵子あるいは卵母細胞を顕微鏡で観察し、受精できるくらい充分に成熟しているか判断をする。もし患者が、卵細胞質内精子注入［顕微授精（ICSI）と呼ばれることが一般的］という男性不妊の治療法を選択した場合、ラモス博士は慎重に、成熟した卵子の周囲にある卵丘細胞という不透明な塊を除去し、最も形態と運動性の優れた精子を一個選び卵子の中に注入する。この作業は一時間かそれ以上かかることもあり、博士はしばしば仕事をしながらブラジルのボサノヴァのCDを聞くそうだ。「最高の仕事をするには、毎日穏やかでいないと」とラモス博士は言う。「音楽は助けになりますね」

ラモス博士の段階を追った説明は、秩序があり予測ができるもので、受胎という長く捉えどころのないゴールを可視化してくれたので、何か月もの妊活の後で慰められたし、魅力的にすら感じた。卵子が受精すると、ラモス博士は卵子の中に二個の前核[3]形成を確認する。これが融合した二倍体細胞と呼ばれるものが、いわゆる受精卵となる。その後数日間、受精卵が摂氏三十七度で培養されるなか、博士は発達の経過確認をラボで行う。理想的には、受精卵［胚］は四個の均等でなめらかな細胞に分割し、その後八個の細胞に分割する。三日目に健康そうな胚が多く残っていれば、ラモス博士は最も良好な胚が、ブラックベリーのような見た目の桑実期胚やサッカーボールのような見た目の胚盤胞になるまで、女性の子宮に移植するのを待つこともある（一般的に、胚盤胞まで培養させることで、胚培養士や生殖医療専門医が、最も発育の良好な胚を選択できる可能性が高くなるのだ）。「ほら！　きれいでしょう！」ラモス博士は過去に培養を手がけた胚の画像を私に見せながら言った。こうした画像がいっぱい詰まったいくつものフォルダを博士は持っていた。あらゆる段階のもので、奇妙に美しかったし、博士の器具も同じだった。胚を採取するために使われる磨かれたスチールとガラスのカテーテルや、ガラス化凍結保存[4]をするために、余った胚を集める際に使われる針のようなクライオループ。

「このラボで起きていることは、女性の体内で起きていることにとても似ています」とラモス博士は言う。「誰も見ていませんけどね」

　でも、見ているのだ。子宮への胚移植当日、ラモス博士はそれぞれのカップルや個人に、胚の一連の画像を渡し、胚の状態や着床の見込みについて説明をする。こうしたぼやぼやした白黒の画像は、何年も妊娠を試みてきた人にとって、かけがえのないものだということは想像がつく。妊活の掲示板上の女性たちは、**赤ちゃん行き**や、**ママになりたい**などのハンドルネームを持ち、

3 前核は、精子由来の遺伝子の核と卵子由来の核からなる。

4 細胞を非晶質のガラス状態で凍結する方法。細胞内に凍結保存液を置換し、液体窒素に浸けて急速冷凍することで水分の結晶化を防ぐ。

お互いに「張り付く念（スティッキー・バイブス）」や「赤ちゃんの魔法の粉（ベビー・ダスト）」を送りあい、胚がそれを「受け取る」ことを願う。

　けれど、クリニックでは患者は注意深く希望的観測だけを表現する。時々泣かれる、とラモス博士は言うが、胚に名前を付ける人や、そうでなければ人格を与える人は見たことがないそうだ。失敗するかもしれないことは沢山あるのだ。まだ生存能力のある時期には遠い胚は、着床しないかもしれないし、着床しても育たないかもしれない。余った胚は凍結され、博士のクリニックの患者は三つの選択肢を持っている。今後のために胚を保存するか、研究のために寄付をするか、破棄することができる。凍結保存された胚は、解凍することで破棄される。「胚は患者さんのものですので」とラモス博士は言う。「患者さんに決める権利があります」

　そして、あまりに高額で、個人の事情に立ち入り、不安に満ちているため、（始まることがあるとしても）軽い気持ちや無頓着な気持ちではめったに始まらない治療である体外受精治療の影響力と重大さを、根本から理解しているのが患者だ。ラモス博士は患者に、がっかりする、ショッキングですらある知らせを伝えるために電話をすることもしばしばある。胚は、特に高齢の女性患者から採卵した卵子では、細胞が完全に崩れてしまったり、育たなくなってしまったりする場合もあるが、どの胚がしっかりと着床できるか見極めるのは難しい。こうした不確かさがあるにもかかわらず、ラモス博士は体外受精に関する話をする合間に、たびたび仕事への大きな愛を熱心に語っていた。「すごく繊細なので」と彼女は言う。「上手に行うには、スキルと性格の適性どちらも必要なんですよ。Life《ライフ》を作るのですから。これは魔法そのものです」

私は、メモを取り受精卵のスケッチをしていたノートから顔をあげた。**命《ライフ》を作り出すって言った？** ラモス博士は家族の暮らしについて話を続けた。母と父と子ども、もしくは母と母や、父と父、誕生日や祝日や、世代から世代へと受け継がれる伝統。彼女が作る手助けをしているのは人生《ライフ》で、私とリチャードに、彼女や他の胚培養士が提案してくれている人生だ。

訪問の終わり近く、話は桑実期胚や胚盤胞の理論上の考慮すべき点から、私自身の状態と治療の具体的な現実へと移った。とても礼儀正しくラモス博士に年齢を尋ねられ、私は答えた。

「あなたもそろそろですね」と博士は言った。

おそらく博士は正しいのだろう、と思った。二週間待機は終わり、予期しつつあったように、リチャードと私はまだ妊活中だ。ラモス博士を訪ねて、お金や、治療の実施や、失意に陥ることに対する私の疑問は解消されなかった。けれど私が待つ間、「もしこうだったら？」という期間に、自分が博士から電話を受けている姿を思い浮かべることができた。**きれいな胚ですよ**、と言う博士と、後ろで流れるボサノヴァのメロディを想像した。胚自体も思い描いた。均等に分割した丸い胚盤胞。

ただし、そうなったときですら、まだ私たちは待っている。

産科医（obstetrician）という言葉は、「前に」を意味するラテン語の形態素であるobと「立つ」という意味のstareが含まれている、と担当の不妊治療医がメールで教えてくれた。産科医というのは、子どもを産み落とされるのを待ちながら患者の前に立つのだ。そして、「忍耐深いという意味もある」患者（patient）という単語があり、その言葉はすべてを表している。

ヤング先生もまた、違った形で待っている。診断し、長期間妊娠を待ち望む人を治療し、どっちつかずの優柔不断で怖がりな私のような女性たちがどうするか決めるのを待っている。彼の患者が妊娠し安定期に入ると、いずれ産科医の元へと卒業していき、産科医が赤子を取り上げる。ヤング先生は、私たちと同じように、適切な治療の組み合わせが、妊娠に効果を発揮するのを待っている。

私は、ヤング先生に黄体機能不全と診断された。これは、子宮内膜が毎月十分な期間を維持できずに脱落してしまうという意味だ。しばらくの間、排卵後にプロゲステロンの補助薬を服用する治療をしていた。私の周期は、正常な二十八日周期になり、子宮内膜も二週間きっちりと、胚盤胞が着床できるくらいの間維持された。

ただ、着床しなかったのだ。私は妊娠しなかった。少なくとも、早期妊娠検査薬では陽性にはならなかった。実際、生殖機能が成熟したこの年月の間で、妊娠検査薬を使ったことはほとんどなく、リチャードと私がブルックリンに住んでいた頃に一回と、妊活をしていた四十七か月の間に三回使っただけだった。代わりに、私は毎朝体温を測り、通常周期の終わり頃に三十六・九度、三十六・八度、三十六・七度と体温が下がっていく徴候があらわれると、二週間待機がもうすぐ終わるのだとわかった。

　この点で私は他の人と違っていた。掲示板や参加していたピアサポートグループでは、ＴＴＣの女性たちは二週間待機の間、毎日検査をしているとか、一日二回も検査するなど話をしていた。陽性の結果が出るのを今か今かと待っている場合もあれば——通常、家庭用の妊娠検査薬が女性の尿からｈＣＧを検出できるのは、最も早くて排卵から十日後だ——陽性の結果が出たあとに再度確かめたくて検査する場合もある。検査薬に表示された、黒い線や、プラスのマークや、**妊娠**という言葉を証明するため（お祝いするため？）に二回も三回も検査薬を使った女性たちの話を聞いたことがある。

　ラモス博士の均等に分割した胚の細胞が、私にとってそうだったように、検査薬が彼女たちにとって励みになる、というのはよく理解できた。胚や体の変化は、待ち望まれているものの（この時点では）目に見えないため、妊活中の女性は、妊娠が現実に思えるあらゆるものを切望するのだ。もちろん、公には言わないとしても、妊活仲間たちや治療結果を聞くのを待っている他の女性たちには、おそらく伝えるだろう。オンライン上では、こうしたニュースは「やった〜！！！ＢＦＰ（Big Fat Positive［まちがいなく陽性］の略）！」という歓喜や、または家庭用妊娠検査薬の写真や、笑顔の妊婦がお腹に手を置いている絵文字などの画像を通して伝えられる。

　不妊と生殖補助医療について、生殖能力が高い人々とは話し辛いこともある。彼らは理解できないか、この話をしたがらないかもしれないし、自分の家族を育てるので忙しく、あまり応援できないかもしれない。掲示板やブログは、注射薬や体外受精の周期や、何本映画を見たところで二週間待機中の人の心を悩ませ続ける疑問（**私は一体妊娠したのか、それともしてないのか？**）などについて、安心して話ができる場所だ。パソコンを介してとはいえ、こうした掲示板上で女性たちが差し出す応援は、くだけた口調で、不完全な文や愛ある表現、急ぎの質問や喜びにあふれた句読点で満ちている。彼女たちのメッセージは、側転をしていたり、チアリーダーの笑顔だったり、光るＢＦＰの文字や、きらきらした魔法の赤ちゃんの粉など、対面での会話で使うボディランゲージやジェスチャーのような動くＧＩＦで飾られている。

Lilypie.comというウェブサイトでは、妊活中の女性はカスタマイズ可能なティッカー（カウントダウンや集計数を表示するカラフルなグラフィック画像）を作成し、不妊や生殖補助医療の掲示板への投稿の下に表示できる。こうした掲示板を訪ねた際には、年齢、病状、妊活歴何か月とか、さまざまな人工授精や体外受精の周期の日付や結果などが書かれた詳細情報のリストの下に、こうした四角いバナーがあり、投稿よりも頻繁に更新されているのが窺えた。

ティッカーは、さまざまなことに対するデジタル版覚え書きだ。休暇や記念日や誕生日や卒業式などは、カウントダウンにティッカーがよく使われるイベントだけれど、受胎や妊娠が、ネットの掲示板などの匿名の場所でしか共有されないような、不安だらけで目に見えない一連のできごとで区切られている不妊コミュニティでは、ティッカーにはある種の存在意義と流行がある。中世の装飾写本のように、ティッカーは、言葉が書かれた画像や、ベビーシャワーの招待状で見かける、乳児の服やベビーカーや笑顔のコウノトリのイラストなどのパステル色の画像できらびやかに飾られている。Lilypieでは、月経周期を十五日から八十日の周期で設定することができ、その際にも、蝶々や夜景やキャベツ畑や星など様々な背景を利用できる（周期の中で妊娠しやすい日はハートや魔法の赤ちゃんの粉のきらきらの印がついている）。スライダーというのは、今の自分が周期のどのあたりかを示す画像で、これもカスタマイズすることができる。ご機嫌なウサギや縄跳びをする女性や蜂やてんとう虫や、手を繋ぐ男女や女性同士や男性同士（おそらく代理母出産の周期の記録）など、さまざまなイラストを選ぶことができる。

　また、「天使の赤ちゃん」という、流産や死産で亡くなった子どもを悼むティッカーもある。背景には雲や虹や穏やかな草原を選べ、スライダーには鳩やテディベアやウサギに、様々な人種や姿勢の赤ちゃんを選べる。安らかに眠っている子もいれば、座っている子や、光に包まれ天国に向かっている子もいる。羽が生えている子もいれば、虹で滑り台をする子もいる。一人の子もいれば二人、三人または四人のグループもいる。皆、私たちが思う赤ちゃんの姿をしていて、胚の姿ではない。皆、感じ良くぽっちゃりしていて、かわいらしく前髪を生やし、ブルーやピンクに身を包んでいる。天使の赤ちゃんのティッカーで提案される文言は「さよならを言ってからXか月とY日が経ちました」だ。悲嘆に暮れる母親は、もしかしたら出産の際に、もしくはもっと前に赤ちゃんを亡くしたのかもしれない。体外受精治療では、胚移植の数日後または数週間後まで、喪失はよく起きる。本には、妊娠三週間や四週間の胎児はけしの実ほどの大きさだと書かれているかもしれないけれど、母親が思い描くのは違う。笑っていて、性別があって、抱きしめたくなるような「ほんとうの」赤ちゃんを想像するのだ。でも、母親が手にするのは、漫画や画像やアイデアからなる天使の赤ちゃんだけかもしれない。

今ある技術が存在する前――家庭用妊娠検査薬や体外受精治療や胚盤胞の顕微鏡画像が存在する以前――は、月経がこないと妊娠を疑っていたけれど、やがて来る命は、目に見えるしるしではなく、通常妊娠四か月や五か月頃起きる、胎動初覚という母親が初めて感じる胎動を通して確かめられていた。アリストテレスは胎動を、人間の魂が胎児にはいった合図だと考えた。百年ほど前に医師や科学者が胎児の標本採取を始めるまでは、ほとんどの人は胚や胎児を思い描くことはできなかったし、しようともしなかった。ある文化では、非常に未熟で生まれた胎児が異質で見慣れないものだったため、カンガルーや猿や魚の腹とか妖精など、人間ではないものと考えた。

今となっては、最先端のハイテクな生殖補助医療クリニックでは、体外受精治療周期中の受精卵分割のすべての瞬間を、タイムラプスインキュベーターの画像で記録することができる。胚培養士は、こうした画像から各胚の分割がどんな風にいつ起きるか調べることで、移植に最も良好な胚を選ぶことが可能となり、患者の妊娠の見込みが上がると考えている。こうした画像は、確実に政治や生物倫理の議論の的となるだろう。タイムスタンプの記録された生命の創造は、細胞に対しても人間としての権利を懸念する人々にしてみれば、強力なツールだ。ラモス博士は、彼女の立場としては、この技術はさらなる確実さを患者にもたらすのでわくわくしているし、数年以内に自身の研究室でも導入を希望している。それまでには私の決意も固まっているだろう、と私たちは申し合わせた。体外受精に挑戦しているだろう。もしくは、諦めがついているだろう。

Just Adopt

第6章 養子にすれば？

パルルが養子縁組あっせん団体から電話を受けたのは、彼女と夫ネイト・ゲッツがネイトの勤め先がサプライズで開いたベビーシャワーから帰宅した直後のことだった。ノースカロライナ州ローリー地域の社会福祉の非営利団体でエコノミストを務めるネイトは、ベビーシャワーがとても「信じられないくらい気まずくて変」だったので——まだ赤ちゃんも予定日も決まっていなかった——パルルがプレゼントを仕分けするなか予期せぬ電話を受けた際、彼は友人と飲みに出かけたところだった、と言う。

珍しい状況だと、パルルは告げられた。子どもは男の子で、数日前に予定日より五週早く生まれていた。生みの母のケイトは、ユタ州に向かうところだった——養子縁組あっせん団体の所在地で、州の法律で、生みの母に考えを変える猶予が二十四時間のみ与えられている場所だ——が、産気づきインディアナ州の地方病院で出産した。その後すぐに、より設備が整ったケンタッキー州の病院へ転院した。ケイトはパルルとネイトのプロフィールを目にしており、二人を息子の親に選んでいた。二人は希望も辞退もできるが、養子に迎える場合は翌日には現地にいなければいけないし、手続きを終えるのに三週間はかかるのでその間ケンタッキーに滞在する用意をしておくように、とあっせん団体の代表はパルルに告げた。

パルルはすぐに荷造りを始め、タイミング良くベビーシャワーで大量にもらった、まだ洗っていない赤ちゃんの服をひとかかえスーツケースに詰め込んだ。翌朝三時にパルルとネイトは出発し、その日の午後ケンタッキーに着いた。

二〇一〇年の七月のことだった。四月から五月の間、二人は数週間かけてケイトのような人にアピールするための家族プロフィールを作成していた。二人の暮らしについて書き、ノースカロライナの自宅や地域について説明し、ガーデニングをするパルルやゴルフをするネイトの写真を撮った。パルルは生みの母の立場から考えてみて、自分の子が共に暮らす人たちの生活の、どういう部分を知りたいと思うか想像した。

しかし、十四歳で初めて出産をした二十三歳の女性で、資金と学歴も限られていて、他の子どもたちを親戚に養子へ出していたケイトにとって重要となったのは、そうした注意深く書かれた人生の物語ではなかった。ノースカロライナの州法は、生みの母がどこの出身であっても、州で実施した家庭調査の結果の閲覧を許可しており、ケイトはネイトとパルルの調査結果を希望し、読んでいた。そして、お互いの人生の奇妙に対称的な部分に心を打たれた——自身は、今回の子の以前に六回出産しており、パルルは六回の流産を経験していた。この赤ちゃん——ケイトの七人目の子——は、パルルにとっても家族を持つための七度目の挑戦であった。運命で決められているかのようだった。

もし子どもを授かる運がないなら、自分には何か別の運命が用意されているのではないか、と考えるのは魅力的だ。リチャードと私が人工授精治療をやめた後、私は**養子を迎える運命**なのかもしれないと考えた——それが、長く先の見えない計画の真相なのだと考えたのだ。

『さよなら、私のクィンターナ』の中で、ジョーン・ディディオンは娘を養子に迎えたときのことを、神話的な部分を強調しながら書いている。ゲッツ家と同じく、ディディオンと彼女の夫ジョン・グレゴリー・ダンに、病院で待つその子を迎え入れたいか決断する時間はほとんどなかったし、二人もすぐに希望すると返答した。その数か月前、娘という考えが養子でもそうでなくても「夢みたいな思惑」だったとき、メキシコの地図で見つけた地域の名前にちなみ、二人は娘をクィンターナ・ルーと名付けた。二人はその地方に一度も行ったことがなかった。「クィンターナ・ルーと呼ばれるその場所は未知の領域だった」とディディオンは書いている。けれど二人は、病院から娘の名前をどうするか聞かれても、迷うことはなかった。すぐにわかったのだ。電話越しに「セントジョンズ病院で生まれた美しい女の赤ちゃん」と説明されたその子が、二人の望む子だとわかったように。

私は、新生児や生みの母を想像したことはないけれど、四歳の子や六歳の子、十歳の子を迎えるのはどういう感じなのだろうと考えた。血の繋がりのない子どもたちとの絆という、教師としての自分の経験と照らし合わせた。特に一年生のダニエル・ホールのことを考えた。太陽のような眩しさいっぱいの顔をしていて、ぼろぼろの校内のどこにお使いに出しても、事務長からはコピーや鉛筆、食堂のスタッフからはおやつ、隣の教室の先生たちからはチョークやマーカーなど、貴重な物資を抱えて戻ってきてくれるのだ。朝食の列での挨拶に彼がいない日は、心が沈んだ。何故かというと、ダニエルが自分のクラスにいることを条件に一年生を教えるという、作文の授業の教師から学校全体を教える職務に移行することに同意したのだ。もし彼がいれば、骨の折れる信じがたいトイレの手順や（子どもたちが一人ずつ順番で行く間、廊下に一列縦隊で、完全に黙ったまま並ばなければいけなかった）、増えた事務仕事のプレッシャーだとか、ダース・ベーダーと呼んでいた校長からのさらなる監視だとかの、どんなことにも耐えられると思った。

　きつい退屈な乳児の年月を飛ばして、自分の知っていることからすぐ始められたら、どんなに良いだろう。エズラ・ジャック・キーツ[2]を読み聞かせたり、めちゃくちゃなアートのプロジェクトで家を飾ったり、自転車に乗ったり、博物館に出かけたり。高齢の母親になる心配も消えるだろう――今の年齢で六歳の子を持つ母親になれるかもしれないのだ！　それにもしかしたら、血の繋がりのない子に対しては、もっと懐の深くて慎重な、良い母親になれるかもしれない、と思った。息子の行動に、自分のだめなところが影響しているのを見ることもないだろう。

　でもダニエルには愛情深い両親がいたし、彼のような子を養子に迎えると想像するのは、幻想を思い描くのと同じだった。養子や里子に迎えられた生徒たちには、私や親には助けようがないほど問題のある子も多く、登校を拒否したり問題行動を取ったり、停学になることもあった。ダ

1　米国の学校では朝の給食があるところもある。

2　ＮＹ出身の絵本作家。代表作に『ゆきのひ』『ピーターのてがみ』などがある。

ニエルのクラスを教えた数年後、ＡＰの英語の授業で苦戦していた生徒を受け持った。本人は聡明で、家族は愛情深く経済的に豊かだったにもかかわらず、彼女は学校に通うのを辛く感じ、欠席が増えすぎて卒業できなくなった。その年の初め、無断欠席が始まる前に、彼女は自分の養子縁組や、顧みられず望まれなかったことから来るなかなか消えない傷について、頻繁に話したり書いたりしていた。私がひどく驚いたのは、彼女が養子に迎えられたのはたったの生後八か月だったと知ったときだった。

養子縁組はいつ起きるとしても、生みの母や父、うろたえる新しい親、そして子ども、と関係者の誰かにとって衝撃的なものだ。時には全員にとって、そうだ。それでも養子縁組は、とりわけ不妊と直面した際に力強く魅力的な物語にもなる。不妊カップルに言ってはいけないことのリストを調べると、そのすべてに「養子をもらえばいいのに」という提案が入っている。みんな、見聞きした覚えがあるし、自分でもそう考えたことがある。世界中に家庭を必要とする子どもは沢山いて、何百万人もいるという風に話は続く。自分の喪失や妊娠できないことや、血の繋がりのある子を持てないことにばかり目を向けるのは自分勝手だ、と。

私は、養母になった自分を想像するのが好きだった。里親を経て養子縁組をするプログラムの講座に登録し、養子縁組のブログを事細かに読み込み、最も待機期間が少なく、国外での費用が最も低い国際プログラムを調べた。リチャードは当初懐疑的だったものの「養子縁組が書類手続きと、自分たちの暮らしを物語ることにかかっているなら、私たち作家二人なら、普通の人よりもうまくいく可能性が高いんじゃないか」という、私の推論に反論しづらいと思ったようだ。私は「結婚生活も長く、自分の仕事も公立学校の教員なので、理想的な養親になれると思います」と、ソーシャルワーカーを説得するのを想像した。高くて不快な治療はすっかり諦め、自分たちが少なくともある程度コントロールできることの手順に目を向けることを考えた。私の体が落第したテストに、二人ならば合格できる、と思ったのだ。

　しばらくの間、エチオピアから養子を迎えることを考えていたものの、急増するプログラムに関して倫理的な懸念が浮上し、エチオピア当局は新規の養子縁組を停止した。もしかしたら、ハイチの方が良いかもしれない。私たちは、ハイチからの養子縁組あっせん団体と会合をし、ハイチ人の娘を養子に迎えた女性と話をした。けれど、その団体は「エチオピアで起きたことが、ハイチでは起きないとは断言できない」と言った。こちらの国も、やはり高圧的で非倫理的な取り組みや、米国からの養子縁組が急増していることが噂されていた。

　ピアサポートグループでは、私たちは時折養子縁組について話し、良さそうだと思うプログラム――待機期間が二年未満だとか、比較的低い手数料だとか、乳児を養子に迎える可能性――について情報交換した。一年程度でモロッコから新生児を養子に迎えられるっていう情報を見たんですけど、とグループに話したことがある。二、三人の女性が前のめりに**それで？**と聞いた。**モロッコ国内で健康診断を受ける必要があって、**と私は説明した。**ムスリムではない場合、イスラム教に改宗する必要があるんです。**

私は、自分たちの必死さを冗談にしようとモロッコからの養子縁組の話を持ち出して、皆笑ってくれた。けれど本当のところ、私は考えていたのだ。三十五歳で信仰を得て、外国政府を偽りの改宗でだましている自分を想像した。いずれにしても、私は母親になり、信心深さもしくは人を欺く経験、または欺きが信心深さに変わるような経験が自分の家族の歴史に取り込まれることになる。

パルルとネイト・ゲッツ夫妻は不妊に悩んでいた当時、RESOLVEのことを知らなかったものの「役に立っていただろう」とネイトは言う。事実、私は二人にRESOLVEを通じて出会った。二人がピアサポートグループにやってきて、二〇一一年に自分たちで始めた財団について話してくれたのだ。財団は、不妊カップルに対し国内養子縁組の啓蒙を行い、不妊治療が成功しなかった後に養子縁組をするカップルに、経済的支援を提供している。当時、二人は自宅でカップルや少人数のグループを集め、無料で国内養子縁組101《ワンオーワン》[3]という導入コースと、さらに詳しく全体像を説明する国内養子縁組102《ワンオーツー》というコースを提供していた。

養子を迎える前、ネイトとパルルは何年も不妊治療を受けていた。最初はクロミッド［排卵誘発剤］を用いたタイミング療法で、それから人工授精を行った。二人は、一緒でも個別でも、デューク大学病院不妊治療科の心理学者のもとに通い、他の治療を受けているカップルとともに八週にわたるピアサポートグループにも参加した。その時点までに五年間で六回の流産を経験し、二人は治療をやめ、ピアサポートグループの中で唯一妊娠しなかったカップルとなっていた。

パルルは最後に双子を亡くした後、不妊治療がうまくいかないということをついに受け入れたと言う。幸せな経験だと思っていた、家族を築く試みが続けられないほど、精神的に参りつつあったのだ。ただ、挑戦そのものを諦めるのは難しかった。パルルは薬学の博士号をもち、薬理科学者として仕事で多くの責任を担っていた。「それまでの人生で」パルルは言う。「挫折したことがなかったんです」

家族や友人に、流産を繰り返したことや子どもを持たないかもしれない恐れについて、話すこ

3　101は、米国の学校で初級講座を指す。

とは殆どなかった。パルルの妹は、不妊について話した数少ない人の一人だったけれど、ロサンゼルスで出産し、それをパルルは父親からの電話で知った。妹が妊娠していたことを全く知らなかった。

パルルは、翌日飛行機で妹と姪に会いに行った。妹は、パルルの気持ちを傷つけまいと考えていたけれど、パルルは出産を内緒にされたことに傷ついた。「母になりたいのになれてない、という気持ちが全部溢れてしまったんです」と、どれだけ妹に辛くあたってしまったかを振り返りながら、パルルは教えてくれた。母乳育児や栄養バランスなど今まで勉強して子どものために準備してきたことすべて、あれこれ妹に偉そうに指導したそうだ。私は、産科病棟で母と過ごした、自分の子のいない時間を思った。どれだけ孤独で、どれだけ他の女性たちから隔てられているように感じたかというだけでなく、これだけ決意もできていて、子どもの**まだいない**という境界のような場所で生きるのをやめる心づもりもこれだけあるのに、と感じたのだ。一週間後、パルルはノースカロライナに帰宅し、ネイトと自分たちの本当に望むことについて話し合った。血の繋がりがあってもなくても、子どもが欲しいという結論に至ったのだ。

私たちは、居心地が良いけれど装飾は控えめな彼らの居間に一緒に座っていた。ここでネイトとパルルは養子縁組１０１や１０２のセミナーを他のカップルに向けて開催している。飼い犬のアルドが、部屋の隅でいびきをかいていた。生後一週間で養子に迎えた息子のノアは、幼稚園に行っていた。

「妊活をしていたとき、子どもはどんな見た目になるのかなって想像しようとしたんです」とパルルは言った。「そういう考え方に入れ込んだりするでしょう」

「それに捕らわれてしまったりもするよね」とネイトも付け加えた。

クリニックの外では、他のほとんどの人たちから距離を取っていたため、パルルとネイトは自分たちと同じような経験をしている人を他に知らなかったし、養子を迎える決意をしたときも、そちら側の世界の知り合いは誰もいなかった。二人は、電話で養子縁組の手続きを複数回説明してくれるコンサルタントを雇った。家庭調査を終え、あっせん団体を選び、生みの母とマッチングを行う際にあっせん団体が使用する養親家庭のプロフィールをまとめ始めた。しかし、マッチングされケンタッキーまで旅した夜に――書類の手続きを終えてから六週間しか経っていなかった――二人に二千五百ドルを請求したコンサルタントは休暇中で、連絡がつかなかった。

パルルとネイトは息子へと辿り着いた決断に何一つ後悔はしていないけれど、まるで共感を求められているのをかわすように、**私はセラピストではないので**と二人に言ったコンサルタントとの精神的な距離感について言及する。

「情報は良かったのですが、単純にビジネスでした」とパルルは言う。

「（養子縁組のビジネスに）共感がほとんどないのが問題です」とネイトも言う。「生みの母、子ども、養親、と三者と話すわけです。かなりの共感力《エンパシー》が必要ですよね」

この共感の欠如に気づいたことが財団設立のきっかけの一つだった――コンサルタントに対して感じた、人間味のないビジネスライクで断片的なアプローチよりも、自分たちの方がうまくやれると考えたのだ。もう一つのきっかけは、息子の生みの母に敬意を表したいという気持ちだった。「彼女の献身的な愛ある行動にすごく感動していたので」とパルルは言う。「私たちは、『どうしたらその感謝を示せるかな？』って自問したんです」

二人は、養子縁組あっせん団体に息子の暮らしを記した写真や手紙を送っている。母親は受け取ることもできるし、連絡を取ることもできる。けれど大抵の場合、連絡はないそうだ。

ほとんどの霊長類の赤ちゃんは半早成性だ――ウサギやネズミの赤ちゃんほど何もできないわけではないものの、多くの犠牲を伴う世話を必要とする――そして、母親だけでなく同じ種の他の個体も魅きつける。これは、餌を探す間子どもを預ける必要もある母親たちにとっては都合が良い場合もあるけれど、時にはあまり用意ができていないのに関心の高い若い個体にさらわれる赤ちゃんたちにとっては、そこまで都合は良くないかもしれない。霊長類の母親は偶然の子の取り替えに、気づかなかったり鈍感であったりする、と記録されている。動物園の職員はしばしば、繁殖グループの遺伝子の総体を増やすためや、生みの母が自分の乳児を拒否した場合に、霊長類の乳児を養母にゆだねる。

　人間の親は通常、祖父母や家族や友人、託児所や学校などの助けを必要とする。養子縁組の助けを必要としない人間の家族、というのは想像しがたい。自分たちの子孫が無事に大人になるまで見届けられるほど長生きできるとか、他の不幸な出来事が生みの親と子を引き離さない、という保証は何もないからだ。米国内だけでも約十二万件の養子縁組が毎年行われており、これは体外受精治療による出産数のおよそ二倍だ。養子縁組を希望する親の四分の三が不妊か不妊症の傾向がある。

　それでも、生殖補助医療の過程と同じだけ、ディディオンが「未知の領域」というように、養子縁組は未知で恐ろしいものになり得る。生みの母や子どもや未来の養親にとってうまく行かない、養子縁組の怖い話を私たちの誰もが聞いたことがある。ネイトとパルルから聞いた話はこうだった。二人のクライアントが、充分に審査を受けていない国内養子縁組あっせん団体を通して、養子縁組を希望していた。生母は養親の二人を選び、権利放棄期間も終えていたけれど、子の実父が服役中であることを伝えるのを怠ったのだ。あっせん団体も父親の所在確認を怠った。もしかしたら生母は、刑務所にいるから父親には権利がないと考えたのかもしれないけれど、出所後、実父は権利を行使した。生母の願いに反して、そして彼女が選んだ養親を絶望に突き落としながらも、親権を主張したのだ。

長い間、こうした話が国内養子縁組を不妊症の人々が恐がる選択肢にしてきた。精神的トラウマや経済的損失などのリスクが、不妊治療クリニックで耐えてきたリスクとあまりに似ている、と捉えてしまうからだ。多くの場合、私たちは失敗に慣れすぎてしまい、当然のこととして受け入れてしまう。自分のことしか見えなくなり、自分自身の経験と比べてしか物事を定義できなくなるのだ。どうせ、何かがうまく行かないに違いない――生母が心変わりをして、私たちが子を抱き、ミルクを与え、すっかり愛してしまった後に、子どもを返して欲しがるかもしれない。

これが過去数十年間、非常に多くの米国内の養親が国際養子縁組に惹かれてきた理由の一つである。九〇年代にはさらに避妊はしやすくなり、十代の出生率は低下し、結婚せずに子育てする人々を取り巻く社会的な汚名《スティグマ》も減少した。これは米国内で出生し、養子に出される子の数が減ったことを意味する。国際養子縁組は国内養子縁組よりもシンプルで費用も高くなさそうで、もっと子どもの数も多いからか、二〇〇〇年には、米国外からの養子縁組の数は二倍に増え年間二万件にまで上った（リチャードと私が調べていたプログラムなどに対する倫理的懸念から、現在その数は半分以下にまで落ち込んでいる）。子どもたちは、家庭を必要とする孤児として紹介される。生き残った家族がいたとしても、おそらく非常に貧しく、離れた場所に住んでいるため、子どもを連れて帰ることはできない。親族は、アメリカのような豊かな国で子どもたちが育てられることをありがたく感じているし、子どもは数年のうちに、生まれた国を訪ねに戻ってくることも可能だ。

友人のマークとレイチェル・アレキサンダー夫妻は、エチオピアで生まれた息子デジェンを養子に迎える手続きを始めたとき、養子縁組は家族を増やすのに最善の方法だと考えた。レイチェルは二十九歳で流産を経験し、生殖補助医療よりも養子縁組に魅力を感じていた。エチオピアから養子を迎えていた仲の良い同僚に、レイチェルは『あなたがいるから、わたしがいる　アフリカの子どもたちを救ったある女性の記録（原題 There Is No Me without You）』を薦められた。メリッサ・フェイ・グリーンの著書で、ＨＩＶ／ＡＩＤＳの流行により孤児になった、何千人というエチオピアの子どもたちの苦境が詳細に描かれている。山間部にある前進的なコミュニティである、ノースカロライナ州アシュビルに住むマークとレイチェルは、家族にもう一人子どもを迎えるだけでなく、多文化家庭となることを楽しみにしていた。マークは、失われつつある風景に関心を寄せる写真家で、レイチェルは、トランスジェンダーの診察やＨＩＶ治療を専門とする家庭医である。

「国際養子縁組に興味を持つときって、それが純粋なことだって思うんです。親が亡くなっているか育てられない小さな男の子や女の子を助けて、同時に自分も家族を増やせて。一石二鳥だ、って」とマークは言った。「もちろん、実際はそれよりもっと複雑なんですけど」

当初二人は、歩き始めくらいの子を養子に迎えることを想定していたものの、マークは幼児期の大変さや、そんな小さな子と七歳の娘のヴァイオレットとの年齢差を考えるにつれ、あっせん団体の「待機中の子どもたち」に惹かれていった——もう少し年齢が上の子や、障がいを持つ子など、養子縁組が成立しづらいと考えられている子どもたちだ。あっせん団体のウェブサイトで写真をスクロールしながら、マークは四歳の男の子の写真に気がついた。丸い頬をして、柔らかそうにカールした茶色の髪の毛で、片手を胸の前にかざしていた。「優しそうな子だね」とマークは妻に言った。

実際、優しい子だった。数か月後、複数の書類手続を終えたマークとレイチェルは、「エチオピアの首都」アディスアベバに飛行機で着くとデジェンに会いに孤児院へ直行した。養子に迎えられる予定の子どもたちは、新しい家族の写真を見せられたり到着日を聞かされたりして、お迎えに備えていた。子どもたちのグループと遊んでいたデジェンは、飛び上がり、園庭を駆け抜けて夫妻の胸に飛び込んだ。「とても素晴らしかった」とマークは言った。

　そこから数日間デジェンと一緒に過ごした後に、二人はデジェンを連れて大使館に出向き、養子縁組の書類手続を終えた。四日目は、デジェンとは孤児院で別れ、二人はジープで四時間かけてアワサまで行き、そこからさらに車で二時間のアルベゴナに行った。その遠く離れた街が、デジェンの血縁家族の住まいに一番近い街だったのだ。二人は美しくも険しい景色を通り過ぎ、複雑に編まれた葦の小屋や、ユーカリの大枝を引く一匹の雄牛に溝切りをさせた畑など、本で読んだ貧困も垣間見た。アルベゴナのコミュニティセンターで、二人は通訳者を介して、養子縁組を仲立ちしたソーシャルワーカーとデジェンのおばとおじに紹介された。この二人が孤児院に入る前のデジェンの世話をしてくれていて、二時間歩いて会いに来てくれたのだ。こうした紹介はよくあるものだ——養子縁組のプロセスにオープンな雰囲気を生み出し、養親に実親の情報を集める機会を与えてくれる。マークは何百枚もの写真を撮った。通訳を介し、彼とレイチェルはデジェンの実母について尋ねた。どんな人だったか？　背が高く、ユーモアのセンスがある人だったそうだ。町のみんなに愛されていた。どんな風に亡くなったのか？　これについては、確かではなかった。長いこと病気だったし、入院していた最寄りの病院は家から車で六時間かかり、見舞うのが難しかったからだ。マークとレイチェルが他の養親たちとホテルに戻ると、聞かされた話が皆似通っていることが強く二人の印象に残った。多くの生母が、背が高く愛されていて面白い人物だったそうだ。それでも、多くの人は亡くなった後に普遍的な褒め言葉とともに偲ばれるものだから、と二人は自身に言い聞かせた。

　アシュビルの自宅に戻り、彼らは四人家族の生活に馴染んだ。マークとレイチェルは、エチオピアとデジェンの親族たちの写真を本にまとめた。そして、デジェンが少し大きくなってから、どんな風にデジェンが二人の人生の一部となったかを彼とじっくり話そうとした。**ご両親はあなたをとっても愛していた。でも、死んじゃったんだよ。**するとデジェンはこう言う。**ぼくのおや、しんでないよ。いいや、違うよ。残念だけど、死んでしまったんだよ。**そう二人は返す。**そんなことないもん。**必ず、デジェンはこう言った。**ぼくのおや、しんでないよ。**

　やがてデジェンは、おばとおじとして紹介された男女が、実際は自分の親だと信じていることを二人に話した。このような事例は、エチオピアでの養子縁組でよくある話となりつつあった。通訳者を要すること、汚職が存在すること、出生届や死亡届がないこと、そして、裕福な国々から甚だしい関心が寄せられることから、西洋の養子縁組の仕組みを実親が詳しく聞かされているかや、子どもたちが本当に孤児であるかを判断するのは難しくなっていた。

二〇一四年、マークとレイチェルはエチオピア人の探偵を雇った。探偵はアルベゴナまで旅をし、デジェンの出生にまつわる話を調べたものの、確証となるものはつかめなかった。二人は、調べることはデジェンへの責任だと感じていたとはいえ、彼を家に返そうというわけではなかった――自分たちの息子なのだから。十歳になったデジェンは、サッカーと本とラジコンが大好きで、時々頑なで心配性だ。私は、彼らの家にブランチにお邪魔した際に、教室にありそうな箇条書きされたルールの一覧表がダイニングに貼られているのを見つけたのを覚えている。食事の時間を穏やかに過ごせるように、家族皆でそのルールを作ったのだと、後から教えてもらった。「デジェンは学校でよくやっています」マークは、予定を必ず守ることや明確な期待を持っているなどの点では、息子は気質的にはレイチェルに似ているけれど、人生に対して気楽で、予定や時間を守ることに抵抗がある自分の性質を、家族のために変えようと考えるマークにも合っているのだと言う。「デジェンは、個人として、人間として、私自身と向き合わせてくれる完璧な男の子です」とマークは言う。「私の弱い部分と、ということです」

すべての家族のように、彼ら一家もまた完成途中なのだ。カウンセリングへ行き、養子縁組家庭のコミュニティに参加し、二〇一五年には、夏の旅行でバージニア州で開催されるエチオピアのカルチャーキャンプ[4]に参加する計画を立てている。養親縁組のことや元の家族、国、文化をなくしたこと、さらにエチオピアで生まれたという単純な事実が、周りのほとんどの子と自分を違う存在にしている、と考えるのは、デジェンにとって非常に精神的負荷がかかり得ることだ。マークとレイチェルは、エチオピアの壮大な歴史や文化を敬うようにしているけれど、息子が黒人で、ヴァイオレット、マーク、そしてレイチェルが白人であるという点には、別の種類の導きが必要だとマークは指摘する。

「考えていたのは、例えばもし私が黒人だったら、近所を歩き回って家々にカメラを向けるっていう、今自分のしていることができないでしょう」マークはEメールでそう伝えてくれた。「もちろんデジェンのことが心配です。どれだけ大変になるのだろうって。今だってすでに、黒人として、そしてそのうえ白人家庭で生きる息子にとって、困難を切り抜けていくのはとても大変なことです。

デジェンのことをすぐに愛し、彼を迎えることができて本当にラッキーだと思いながら、同時にすべてが悲劇のように感じていたのを覚えています。あの子のおばとおじが実際は両親だったかもしれない、と疑う前ですらそうでした」

彼は続けた。「もしかしたら、人生はそういうものなのでしょう。実際私はそう思います——

そして、私たちはその根本を変えるために必要な行動は取らないのです」

　マークがこのメールを書きながら、自宅のガレージ兼スタジオにいる様子が想像できた。爆破で山頂が除去された現場や、ウェストバージニア刑務所[5]の構内などの長いパノラマの写真が壁にテープで貼ってある。風景やポートレートに加えて、マークは空中写真を撮る。紐で繋いだデジタルカメラを、ヘリウム風船で地上数十メートルの高さまで飛ばし、リモコンで何千枚もの写真を撮るのだ。その後、コンピューターで写真を組み合わせて、ぴったりくるように配置した画像は、一つの完成したパズルとなる。彼は、この表現様式のパラドックスに惹かれているそうだ。そのパラドックスとは、彼曰く「すべて見えていながら、本質的にはすべてを把握することは不可能な部分」だそうだ。多すぎて処理しきれない情報。私には、その圧縮された、目眩がするような写真たちは、マークとレイチェルがエチオピアへ行き、デジェンをアメリカに連れて帰ってきた旅に少し似ていると思った。キルトや紙巻きたばこのように、目に見える継ぎ目でつなぎ合わされている。そして端はほつれている。

4 その国の文化を体験できるキャンプ。
5 一八七六年に開設され一九九五年に閉鎖された。現在は見学可能。

私たちは、根本を変えるために必要な行動は取っていない。もし、国際養子縁組に使われる費用がすべて、そうした国々の開発に充てられていたら——エチオピアやハイチの「おばさんとおじさん」は、子どもを自分たちのもとに置いておけたのだろうか？　もし、国内養子縁組に使われる費用がすべて、生みの母たちの教育や食事や住居の支援に使われていたら——寛大な行いでゲッツ財団設立のきっかけとなったケイトは、自分の子どもを自分の元で育てていただろうか？体外受精にかかる費用がすべて貧困層の医療に使われていたら？　私は、もっと急を要する誰かの生殖医療の費用を供給できていただろうか？

養子縁組と体外受精はしばしば対極の選択肢として扱われ、そのどちらにもそれぞれの美徳があるとされている。養親は身勝手な人たちではないとされる。自分の財源を善い行いに使っているからだ。一人の子どもを救い、地域社会を育てたから。遺伝子や肌の色や出自以上のものを見ているから。体外受精を選んだ親たちは身勝手かもしれないけど、間違いなく幸運だ。他者の辛い体験に巻き込まれないで済んでいる。子どもが、母親の青い瞳や祖父譲りの頑固さや数学の才能を受け継いでいるのを見つけるだろう。

しかし、どちらの種類の出生の話にもまつわる障壁を見ると、両者の類似点が見えてくる。人々は養親を励まし、不妊治療患者を気の毒に思うかもしれないけれど、両者ともに、本当に大切な支援はほとんど得られていないのだ。〔養親を対象とする〕一万三千四百ドルの税控除は、遡及請求のみで返金はされないため裕福な養親には有利なもので、それに関連費用をまかなうには全然足りない。ほとんどの保険のプランは、生殖医療の費用にはほとんど適用されない。

　また、中絶が行われなかったのだから養子縁組を善しとする人にとって、体外受精というのは否定的にも肯定的にも捉えられることを詳しく見てみよう。否定的な考えでは、体外受精治療患者は中絶患者のように、自然や神の創造に反しているのだ。起きることを受け入れるべき時にコントロールしようとしすぎているし、品位と信仰をもって受け入れるのではなく、科学にしがみついている。けれど、肯定的な面では、治療周期で作られた余剰分の胚は不要となった際に、生殖補助医療クリニックに献体したり、解凍したりするのではなく、「雪の結晶の赤ちゃん《スノーフレーク・ベビー》」として扱われ、胚の提供者が選んだ相手に提供できるかもしれない。こうした形の「養子縁組」に参加することで、ＩＶＦ患者と胚提供を受ける未来の親も、意図してもしなくても、胚は子どもであるという主張を強化しているのだ。

　それでも、養子縁組家庭では遺伝的連鎖がまったく断ち切られるというわけではない、という点も注目したい。新しい研究は、養育環境によって私たちの性質が決まることを示している。私が聴講していた進化生物学の講義の教授が説明するには、私たちは通常、設計図を描く建築士のように遺伝というものを概念化しているそうだ。代わりに教授は、遺伝子が搬入口に駐車するところの、荷物をいっぱいに積んだトラックのようなもので、生きた経験からの指示を待っているのだと考えるように提案していた。ミバエの遺伝子で決められた体毛の数は、サナギの段階で過ごす水温によって変わり得るそうだ。なので、親が養子を迎える際には、単純に誰かに与えられた遺伝のくじを受け取っているのでない。養親もまたくじの一部なのだ。

「生物学上の母《バイオロジカル・マザー》という呼び名を、子どもを産んで養子に手放した女性に当てはめるのは、残念です……」と、サラ・ハーディは『マザー・ネイチャー「母親」はいかにヒトを進化させたか』という母性本能について書いた著書の中で、こう書いている。「そのような女性はほとんど、**遺伝子上**または**生みの母**に過ぎません。遺伝子の提供者とは違い、生物としての母《バイオロジカル・マザー》は、養い、はぐくみ、乳児が心身成長できる環境を与えるものです」

聡明なハーディですら、**生物学上の**定義を修正しようとして、微妙な状況に自ら足を踏み入れている。「養子に手放す」とはどういう意味なのだろう？　私の知っている生みの母は、才能ある若き詩人で二十歳のときに娘を産み、今も定期的に娘とも養母たちとも連絡を取り合っており、「手放す」という言葉に意義を唱えている。それは、配慮や選択肢や仲介者がいないことを示唆しているからだ。私が彼女に「ゆだねる」と呼ぶ方が良いか尋ねると、彼女はしばらく考えてから、しっくりくる言葉はないと答えた。

〔米国の詩人〕ロバート・フロストの「良い垣根が良い隣人を作る（Good fences make good neighbors）」や、シェイクスピアの「金銭の貸し手にも借り手にもなるな（Neither a borrower nor a lender be）」のように、ジョーン・ディディオンの言葉も時折、文脈外で誤解されている。「生きるために、私たちは物語るのだ（We tell ourselves stories in order to live）」という『60年代の過ぎた朝：ジョーン・ディディオン集（The White Album）』からの引用句は、物語が重要で役立つものだと主張するように一部の人には聞こえるだろう。私も持っているエブリマンズ・ライブラリー[6]版の彼女のエッセイ集は、この引用句が頼もしくも題名になっている。しかし、ディディオンは頼もしい作家ではなく、『60年代の過ぎた朝』は励ましや救いがあるような性質の物語ではない。この本は、崩壊と混乱を前にしたときに物語が役に立たないことを描いている。

　養親向けの前進的な育児アドバイスに従い、ディディオンと彼女の夫ダンは「吟味された物語」

6　世界の名著を刊行する出版社。

を作り、あらためて娘のクィンターナに語った。ダンは、黒髪にリボンをつけた、美しい女の赤ちゃんを選ぶ様子を伝え（「**あの**赤ちゃんじゃなくて……**あの**赤ちゃんです。リボンをつけた赤ちゃん」）、ディディオンは、娘を取り上げた医師からの電話が、シャワーを浴びているときにかかってきたと語った。「**あの赤ちゃん**やって」とクィンターナは二人にせがんだ。あるいは、「シャワーの話をして」と。

後年ディディオンは、娘が受け入れ安堵するだろうと考えていたその話が、不安の源でもあることに気がついた。「**もしワトソン先生が電話してきたとき、電話に出てなかったら？**」と急に娘が言い出すのだ。「**もし家にいなかったら？　もし病院で先生と会えなかったら？　もし高速道路で事故にあっていたら？　私はどうなってたの？**」

ディディオンの伝えた話は、安定をもたらさなかった。クィンターナの、捨てられることへの恐れと不安定さを和らげはしなかったし、むしろそれは、生まれたときの話をしてから始まった。ディディオンは、クィンターナとの養子縁組が、生後七か月で正式に成立した後、恐れは一家から去ったと考えていた。後になってからわかったことは、恐れは娘の中にずっと存在し続けるということだった。複雑ではない養子縁組など存在しない。それがどんなに思いがけないものに見えたとしても。誰も、**養子にすればいいや**と選ぶわけではない。なぜなら、どんな子どもも、箇単に養子に迎えられることは絶対にないからだ。

物語は、私たちを守ったり何も変わることなく時空を超えたりできないにもかかわらず、私たちは物語にすがる。私は、養親になるのは運命だと思おうとすることで、幸運で特別だと感じられて、最終手段を選ばざるを得なかったのではなく、自分だけの物語があるというアイデンティティを持つことができた。私は長いこと、養子縁組を可能性として考えていた。だからウェブサイトをチェックしては幸せそうな家族のブログを読んだり、動物やらスポーツやら自然が好きな子どもたちや、メガネをしていたり歯を剥き出して笑っていたり、漫画のキャラクターTシャツを着ていたりする子どもたちの紹介ページをスクロールした。私が選んだ養子縁組あっせん団体職員には、その団体は不妊治療を終えた人たちへのあっせんを希望していると忠告された。彼らの経験から、両方同時に挑戦するのは大変すぎるためバランスがとれないとのことだった。私は（今のところ）**終えています**と職員に伝えたものの、本当のことを言えば踏ん切りはついていなかった。体外受精治療と同じくらい複雑でリスクが高そうに感じていたので、養子縁組で問題があったらどうしようと心配していたのだ。選ぶ国や州を、選ぶあっせん団体を間違えていたら、と。そのため、手続きもそこまで進むことはなく、家庭調査も里親研修も参加しなかったし、正式にあっせん団体と契約を交わしたり手数料を払ったりもしなかった。自分の住まう郡から、里親プログラムのお知らせがまだ郵送されてくる。私はそれを後ろめたく古紙回収に出しながらも、ダイレクトメールの送付を止めてもらうことはしない。

ネイトとパルルは、クライアントと話す際には運命という語り口を避ける。ノアと名付けた息子を養子に迎えた際に、運命という考え方が——六人の赤ちゃんと六回の流産——重要な役割を果たしたとしてもだ。

「養子縁組が家族を迎える**唯一の方法**ではない、と皆さんに伝えています」とネイトは言う。「**方法の一つです**」

二人のクライアントには、無事養子を迎えた人もいれば、体外受精、卵子ドナーや胚のドナーを利用した治療を再開し成功する人もいる。クライアントの中には、養子を迎えていなくても、ボランティアや寄贈者として戻ってくる人々もいるそうだ。そうした人たちがポットラック[7]やハロウィンパーティーに参加する。かつて他のカップルや家族から孤立していたゲッツ夫妻は、今となっては、自分の望む人生を待つことの意味を知る友人たちの、大きな輪に囲まれている。

すべての家族は、それが事実でも作り物でも物語として始まる。ひとりの人が心に思い描くもの——いくつも明るい色のテンペラ画が貼られた冷蔵庫や池で蛙を眺めて過ごす午後。端が噛まれた厚紙の本。発音の間違った言葉。思わぬ金言。ミルクの匂いの息。歯が抜けたときのおまじない。バレエの発表会。止まった時間と過ぎるのが早すぎる時間。同じ思いを持つ人々のコミュニティ。そしてコミュニティと自分が同じ考えを持つと感じること。

不妊の人物が求める人生は、偶然や運命にもたらされるものではなく、悪戦苦闘のうえの決断がつくるものだ。写真をポートフォリオにどうまとめるか。家庭調査でどう回答するか。どの病院、どの医師、どの治療を選ぶか。卵子ドナーか精子ドナーか、それとも胚ドナーか。オープンに、それとも内密に養子縁組をするのか。どの国や、どの選択肢に印をつけるのか、つけないのか。どんな疑問を持ち、また繰り返し問うていくのか。いつ始め、いつやめるのか。

自分の子どもに「**私がやってきたときの話をして**」と言われたら何と答えるか。

Solstice

第7章 ✤ 冬至

ここ二年間、子どものいない夫婦としてリチャードと私は、地元や家族から遠く離れたところで冬休みを過ごした。

二〇一一年にはフロリダまで車で行き、家族ぐるみで親しくしている友人が持つ、湾沿いの分譲マンションに滞在した。到着した日、私たちはビーチに向かい、ピンク色とオレンジ色をした夕焼けを見た。孤を描くように伸びたひんやりした白い砂浜は、一時間ほど前は人影はまばらだったのに急に人が集まってきた。中には、ビーチチェアや毛布を持ってきている人もいれば、カメラを持っている人もいた。長いスカートを履きボンネット帽をかぶったメノナイト派[1]の人たちもいれば、ボンゴを持ったヒッピー、冬でもよく日焼けした定年した人たちもいた。「冬至だからね」とリチャードに言った。私たちも場所を見つけ、まぶしく輝きながら徐々に消えていく光を見ていた。ここから六か月間、日が少しずつ長くなっていくことを思い、私は嬉しくなった。緯度の違いもあり、日が出ている時間は、すでに自分の住む州にいるときよりも長かった。

　でも、冬至の次の日の夕方も残りの滞在中も、毎晩同じ顔ぶれが大体同じ時間に現れたし、私たちも同じだった。昼間は、自宅ではしないことをした——朝は遅くまで寝て、ジョン・グリシャム[2]原作の映画を見て、ビーチをぶらぶらして貝殻を探した。そして、毎晩夕陽が沈んでいくのを見届けた。マンションのエレベーター内の貼り紙には、一部の夕陽の見物客が見たがっていたものが何か説明されていた。グリーンフラッシュという光の屈折現象で、夕焼けか朝焼けの際のほんの一瞬の間、明るい緑の部分や光線が見えるというものだ。貼り紙には、グリーンフラッシュを見た人は幸運と物事の本質を見抜く力を手にするという迷信を世に広めたとして、ジュール・ヴェルヌ[3]の『緑の光線』という小説に触れていた。

1 キリスト教再洗礼派の一派。北米に移住した信徒の子孫には特徴的な服装をしている層がいる。
2 小説家。『評決のとき』や『ペリカン文書』などの著書がある。
3 フランス人小説家。『海底二万里』で知られる。

その翌年、私には夕陽や海辺の気候ではなく暗闇や妖精《トロール》や氷河が必要だった。だから、二人でアイスランド旅行を手配した。

その旅行は、希望に満ちた時間になるはずだった。夏の終わりから秋にかけて、最初の体外受精治療周期の開始日についてヤング先生とメールを何度かやり取りしていた。八月では早すぎるし、九月や十月は出張で予定が埋まっていた。「私、まるで生殖補助医療のハムレットですね」と私はヤング先生に言った。「延々と議論しては、避けられないものを先延ばしにして」（先生が、戯曲『ハムレット』の結末を指摘しないでいてくれて有難かった）。

私の言葉は、体外受精治療が避けられないということだけでなく、後がないことも指していた。体外受精のための薬代と治療費を支払った後では、ドナー卵子やドナー胚など他の治療を試す余裕はまったくなくなる。養子縁組についても調べていたものの、それも複雑ではっきりしない部分があった。

アイスランドへの旅は、色んなことを忘れさせてくれると思った。冬至の二日前に現地へ着くよう手配し、暗闇の中でオーロラを見たいと思っていた。様々な色の揺らぐ光の粒子が発生する様は、多くの場合澄んだ夜に見られるそうだ。世界中の文化で、オーロラに関する神話が生み出されている——中国では龍だと言われていたし、クリー族[4]は先祖の霊だと信じていた。いまだ大多数の人々が妖精の存在を信じているアイスランドでは、オーロラは出産の痛みを和らげると考えられている。

その北の光が、五年間ほど子どものいない辛さを抱える私に、何かメッセージをくれるところを想像した。もしかしたら宇宙には美しさやサプライズへの許容量ってものがあるとか、ありのままの物事を受け入れろとか。もしくは、気づきとか。一年で一番日が短い日に、氷河の上に立って空を見上げる自分を思い描いた。

その夏と秋ずっと、ある取材記事を書いていて、その話が頭から離れなくなった。血の繋がった子どもが持てないと知りながら、人生のほとんどの時間を過ごしてきた人たちの話だ。現在は廃止され既に信用を失った優生政策の一環で、不妊ではなかったのに、私の住む州に断種手術を受けさせられたのだ。ノースカロライナは優生保護法を可決した三十三州のうちの一つで、強制的な断種手術を用いて誰が親になるべきでならざるべきか判断を下した。ノースカロライナの断種政策は一九三三年に始まり、一九七〇年代まで続いた。他州と同様に、この政策はマイノリ

4 北米のネイティブアメリカンの部族の一つ。

ティや貧困層を標的にしており、多くの場合、ふしだらさや精神障がいの疑いがある子どもたちの保護者に、断種手術に同意するよう圧力がかけられた。**同意しなければ生活保護の支給がなくなるぞ、**と親や祖父母たちは脅された。

　ウィリス・リンチは、退役軍人であり引退した元何でも屋で、金曜の夜は地元の退役軍人クラブでジム・リーブス[5]の曲を歌い、ギターを弾くことを楽しみにしている。その彼が、自分の身に起きたことを話せるよう自宅へ招いてくれた。「このへんの人にはね、自分は頭の良い奴とか何でも直せる奴として知られてるんです」と、初めて会ったときに教えてくれた。彼は父親になるには不適格、と示唆する書類を私に見せてくれた直後のことだった。一九四八年、ウィリスは十四歳のときに、住んでいた州営の児童養護施設から近くの病院へと連れて行かれた。自分にマスクをかぶせる看護師にカントリーの曲を歌ったことと、カウントダウンをしたこと、そして目が覚めたら歩くのがやっとだったことをウィリスは記憶している。自分の身に何が起きたか気づくまでにしばらくかかったにもかかわらず——誰も手術のことを彼に言わなかった——ウィリスは、血の繋がる子どもは一生持てないのだという認識を持って、人生のほとんどの時間を過ごしてきた。

　私がウィリスに出会う頃には、彼は一九八二年型のフォードＥＸＰをノースカロライナのラリーまで走らせ、州の政策に対して賠償金を求める運動の当事者として、州がどのような形で償えるか審議するために開かれた公聴会で発言をしていた。彼や他の優生政策の犠牲者は、記念式典や教育や賠償金を通じて、政府は過ちを認めるべきだと考えていた。ウィリスは、賠償金を不当な判決を受け服役した人々への補償金に例えた。どんな金額も、ノースカロライナ州が彼から奪ったものを埋め合わせることはできないものの、州は何かしらの補償をすべきだとウィリスは感じていた。

　私がノースカロライナの断種手術の犠牲者の話に関心を寄せたのは、彼らが受けた暴力に似たような体験をしたことがあるからではなく、被害者の話、とりわけ賠償金をめぐる闘いに対する大衆と立法府の反応が冷淡で、それに見覚えがあったからだ。**ずっと昔の話ですから**、一部の議員たちはそう主張した。被害者に関するネット記事にコメントをした人は、ある種の人は子どもを作るべきではないのでは、と無意識ながらも、危険で科学的根拠のまるでない初期の優生主義者の意見をそっくりそのまま述べていた。生殖に関する健康《リプロダクティブヘルス》が必要不可欠なもので、生涯にわたる影響を及ぼすということを否定する姿勢は、私にも馴染みがあるものだった。

5 カントリーミュージックの歌手。

断種の心理的な被害に関する研究はほとんどないものの、不妊はストレスの要因として、がんやＨＩＶやその他の慢性的な疾病に等しいというエビデンスはある。「アイデンティティにとって大きな脅威です」と言うのはマーニ・ロスナー博士だ。ＮＹの精神科医で、心的外傷を伴う喪失として不妊を考察した長大な研究の著者である。「肉体的にも、精神的にも、社会的にも、スピリチュアル的にも、です」

ロスナーの研究は、優生政策の断種手術の犠牲者が生まれ育った環境とはかなり違う環境で育った女性たちに焦点が置かれている。比較的裕福で、人脈もあり、心のケアや他の支援制度も利用しやすい立場の人たちだ。それにもかかわらず、彼女たちの疎外感や恥の意識の話は、ノースカロライナ州の優生政策の犠牲者たちの話に似ていた。教会で、特に母親たちや妊婦が礼拝中に褒められる母の日には、孤立したように感じると話していた。恥の意識、うつ、悲しみ、嫉妬、そして配偶者、家族、友人との話しづらさを体験していた。

ロスナーはその分野で初めて、どのように不妊が人生のほぼあらゆる場面で心に傷を与えるほどの影響をおよぼすかについて十分に研究した人物であり、彼女の「生殖のトラウマ」という言葉の使い方は、論文発表の際に疑問視された。「具体的ではない」と認めながら、ロスナーは言う。「こうした喪失は、隠されたものです。しかし、生殖のトラウマに関しては、喪失は繰り返しやって来るのです」

この喪失感の一因には、多くの不妊の人々が自分の体験を話せないということがある。ロスナーが研究の中で述べているように「夢を失ったことを悲しむという行為には、はっきりと基準となるような形がない」のだ。自分の喪失感が貶められることへの恐れや、子どもがいる人たちの気を悪くさせたり動揺させたりしたくないという気持ちが、さらに当事者の沈黙を深める。この沈黙は、作家でありグリーフ・カウンセリング[6]専門家でもあるケネス・ドカが提唱する「公認されない悲しみ」という「死別の際に、その事実を公表できない場合や人前で悲しみを表現できない場合、社会的に支持してもらえない場合に感じる悲しみ」を表している。

断種手術の犠牲者が社会から孤立したり、うつになったり恋愛関係で悩んだりすること、そして――何よりも――公認されない悲しみを感じるのは当然だろう。子どもを持つことができないことが生物学的な理由ではなく第三者の判断によるものだったために、彼らは「不適格」とみなされたことに対して生涯にわたり屈辱を感じ続けるのだ。補償の方法を決定するためにノースカロライナ州の対策本部によって開かれた公聴会で、複数の証言者は自分の体験を語りながら涙を

6 身近な人との死別の悲しみのケアを専門とするカウンセリング。

浮かべていた。標的とされ、断種手術を受けさせられた疑いのある人たちの中には、補償の受給資格を得るために必要な確認手続きを拒んだ人もいた。真実を知りたくなかったのだ。

だからこそ余計に、ウィリスの正直な証言や、ジャーナリストへ心を開く様は勇気があると私は感じた。別の夜にノーライイナという町の退役軍人クラブでウィリスに会った際には、他のミュージシャンや踊りにきたカップルと親しそうにしていた。けれども、彼がほんの少し皆から離れて立ち、ボトルに入った水を一人キッチンで飲み、休憩では外に出て行くのに私は気がついた。もし彼に子どもがいたら、色んなことが違っていたかもしれない。長く続く結婚をして、金曜の夜にデートに連れ出す相手がいたかもしれない。子どもだって、人生の一部となっていたかもしれない。ウィリスは、娘がいたら歌を聞きに来てくれただろうか、息子がいたら自慢に思えるような子になっていただろうか、といまだに考えるのだと教えてくれた。

私は、アイスランドで彼のことを考えた。子どものいない自分たちのことを忘れるために旅に出た場所で。もっとも「アイスランドの首都」レイキャビクでは、忘れることは不可能だった。クリスマスが近づき、学校も休みに入り、クリスマスの妖精の一種であるユールラッズといういたずら者のイラストの映像が、繁華街のビルに大きく映し出されていた。アイスランドの伝統的な名前の付け方は、親と子の関係の優位を思い出させるもので、一般的な苗字は息子や娘を示すsonや

dottirという末尾で終わるものだった。

「そのことが、ずっと心にあるんです」ノースカロライナでウィリスに言われた。

アイスランドでは、リチャードと私はクリスマスの飾りを買い、氷河ツアーに申し込んだ。レストランでは小さな子に、そしてベビーカーに乗った赤ちゃんに笑いかけた。確かに、ずっと心にあった。

子どもを持たない人々の中には、別の種類の勇気が存在する。それは、なぜ子どもを持てなかったかではなく、なぜ持たないことを選んだか語る勇気だ。特に女性にとって、子どものできないことや子どもを作らないことは、疑わしいもの、一時的なものだと見なされる。何年もの間若い女性たちは、自分の意志で卵管結紮《けっさつ》の手術[7]を受けるのがほぼ不可能であることに対し、米国内外で不満を表してきた。二十代、時には三十代の女性たちが、育児の経験を話してくる医師や、若すぎると言ったり、これぞという男性にまだめぐり会えてないだけとアドバイスをしてきたりする医師に遭遇したことがあると訴えている。

7 卵管をしばる避妊手術。

「(医者に)子どもがどんな充足感をくれるかと語られて、私は一生のうちに達成しきれないくらい、やりたいことがもう他に沢山あるのだと説明しました」と書いたホリー・ブロックウェル[8]は、二十九歳のとき、英国の国民保健サービス(NHS)の医師に卵管結紮手術を四度拒否されている。理解できない、と『ガーディアン』紙への寄稿でブロックウェルはこう主張した。子どもを産み育てるには充分成熟した年齢だと見なされ、それも結局は究極の決断なのに、生殖に反対する決断はまだそんな年齢ではないと見なされる。

「ダブルスタンダードのように感じました。彼らと同じ考えならば、個人の決断を認めるということですから」

私が［編集も務める］オンラインの文芸誌『At Length』に掲載した短編小説『A Magic of Bags』の作者メッカ・ジャミーラ・サリバンは、マジックリアリズムを用い、ハーレムの地域社会が女性に対して持つ期待と対峙する人物を、活き活きと描いている。イラーナ・ランドルフは「冷蔵庫くらい大きく」て、カラフルなヘアエクステンションが好きなティーンエイジャーの女の子で「体にはもっと良い使い途があると確信していた」とメッカは書いている。「イラーナは、世間を怒らせる代わりに、刺激してむず痒くさせることを夢見ていた」。小切手(十四歳で、High School Heroes エッセイコンテスト[9]の賞金小切手を換金していた)の換金所の男が、彼女の「子をあやすのにちょうどいい太もも」を褒めたときのことだ。

イラーナは、男の左腕の灰色の毛の下で自分がぶんぶん飛び回るのを感じるまで、男を見つめた。良い気分だったので、さらに意識を集中して、小切手と身分証明書を渡す間も目を合わせ続けた。何分も見つめるのは簡単ではなかったものの、愉快だった。何度も瞬きをしたくなったけれど、持ち直して、さらに眼差しに力を込めた。腕の肉と熱を持ったむず痒さのことだけを考えながら。そして、男が現金を手渡し、イラーナが踵を返そうとしたそのときに、男は右手を左腕に持っていき、掻いた。痛快だった。

『Blue Talk and Love』というイラーナが登場する短編集が出版されて以来、何人もの読者からメッカはこの登場人物に関する感想をもらっていた。多くは母親たちで、手紙をくれたり、読書イベントで発言してくれたりするそうだ。一風変わった方法でイラーナが力を使い、時には自分

8　英国人ライター。
9　実在の中高生支援団体Junior Achievement of NYが主催。

の体も操ることに興味を持つのだ。「（主人公の）育児への態度が、大きく関係していますね」とメッカはメールで教えてくれた。「主人公は子どもを持たないことだけでなく、月経を止めることも選びます。それくらい、とても一般的な意味での生殖に対して、彼女は関心がないのです」

　メッカ本人も、よくカラフルなブレイズやツイストという髪型をしており、登場人物たちがメッカの体験を元に書かれているのか読者は知りたがるのだと言う。「一定数の登場人物が体格の良い黒人の女の子で変わった髪の色をしていますけど、登場人物は皆違う人ですよ、って大抵冗談にしています」とのことだ。メッカはもっと深いところで、自分の生み出した登場人物たちの「対立しているものが何であれ、根本的な喜びを生み出すことへのひたむきさ」に繋がりを感じるそうだ。

「作家、女性、クィア、そして有色人種の女性として、自分が欲しいものをきちんと把握して、自分の望みに優先順位をつけることを私は本当に大切にしています」そう言うメッカは、マサチューセッツ大学アマースト校の教授でもあり、定期的に政治や大衆文化や文学に関するエッセイや記事を発表している。「今は子どもは欲しくありません。たくさんのもの、いろんな形のつながりや親密な関係や愛が欲しいですが、子どもということではありません。もしそのうち考えが変わるなら、そのとき考えます。でも今は、自分の望む人生を送りたいと思います」

子なし《チャイルドレス》とか**子どもから解放されている**《チャイルドフリー》などの言葉をどう思うか、どちらかの表現に惹かれるか、私はメッカに聞いてみた。「ただの**女性**ではだめですか?」と返信をくれた。「もし子どもを持ったとしても、女性として知られる方が良いなと思います。もしくは作家として」

「歳を取るにつれ、だんだん肝が据わってきて、子どもを欲しいと思ったことは一度もないって言えるようになってきたかな」長編小説と短編小説の作家であるミシェル・ラティオレイも、メールでこう語ってくれた。「昔は、誰かがそう言うと、まるで『ランチで赤ちゃんの両面焼きを食べるのが好き』と発言したかのように、人から見られたものだったけれどね」

ミシェルは私が通った大学院の教授で、二十三歳のときに出会って以来、私のメンターでありロールモデルでもある。私は、大学院入学後にキャンパスでの初めての集まりを準備するミシェルの姿をはっきりと覚えている。手際よく、折り畳みテーブルに厚い麻のテーブルクロスをかけ、炭酸入りのレモネードと手作りのショートブレッドクッキーを並べていた。皆で集まった無粋なコンクリートの中庭が急に美しいものになり、金色の午後の光とユーカリの葉の香りで満ちていた。当時彼女が何歳だったかよく知らないし、今も知らない。昔も今もミシェルは、私がこれまで会った中で一番エレガントで厳密で、心の広い師であり作家だ。

「本当にただ全然興味がなくて、他のことを目指して働いていたから」と言い、こう続けた。「昔も感じていたし今もさらに強く感じているのは、世界にはすでに十分に子どもがいて、たくさんの子が世話や関心を向けられることを必要としているということ」

　ミシェルは、自分より若い世代の数えきれないくらいの人々を、教職を通じて育ててきており、彼女は私が目指す教師の手本でもある。信念を持ち、ぶれないだけでなく、生徒のお気に入りの一冊になる小説を紹介してくれて、クラス全員を自宅に招いてメキシコ料理を振る舞うような先生なのだ。「人から子どもがいるか聞かれると、大抵『十二人とか十八人くらい』と、カリフォルニア大アーヴァイン校のライティングプログラムの院生の人数を答えている」とのことである。「学生たちは本当に魅力的で圧倒される人間で、小さな子どもではないですね。皆にご飯をふるまうのは好きだけれど」

　ミシェルの少女時代は、私とは違ったものだった。気難しい両親との複雑な関係は、世の中の不幸や重荷を増やすことを慎重にさせたそうだ。子守をしたことはなく、それもおそらく赤ちゃんに興味がないことへの一因となっていた。

　私は幸せな子ども時代を過ごしたものの、作家としての野心と、時々難しくなる性格のせいで、私が思う子どもたちにふさわしい母親にはなれないのではないかと恐れていた。そうでなければ、母親業のせいで自分が常になりたいと思い描いてきた作家にはなれないと思っていた。ティリー・オルセンが、育児と労働にのぞんだ二十年の間、作家人生について「創作のための最も単純な状況が存在しなかった」と説明しているのは、私にとって戒めでもあり慰めでもあった。

作家でありジャーナリストであるキャット・ウォーレンは、自身が子ども時代に書いた物語やエッセイを読んでいて、自立心と冒険に満ちた逃亡劇がたくさんあることに気がついた。それは自分の身近な人生やスキルと結びついたものだったと言う。オレゴン州の田舎で育ち、体が麻痺した母の介助をしていたキャットは、ニュージーランドで看護師になりたかったそうだ。子ども時代に書いた短編小説を、キャットは「ローラ・インガルス・ワイルダー[10]に魔法を足した感じ」と言う。

長いこと、キャットは母になることにも家庭生活にも関わりたくないと思っていた。大学時代に再び逃亡を企て、卒業後フランスに引っ越せるようにフランス語を専攻した。そこで、ジャーナリストになることを決意した。「あらゆることについて書きたかった」と彼女は振り返る。男性と付き合い関係を持ったけれど、どれも続かなかった。政治運動や冒険、そして社会活動が暮らしを占めていた。

10『大草原の小さな家』の作者。

三十代で大学院に戻り、初めてベビーフィーバーの発作を体験した。もし偶然妊娠したら子どもを産もうと、自分の中で決めていた。妊娠はせず、三十八歳のときに人工授精に挑んだものの妊娠にはいたらなかった。結婚し、流産を経験し、離婚した。その頃には、すでにノースカロライナ州立大学の英文学科の教授になっていて、安定した暮らしのおかげで子どもを持つ余裕がさらにできていた。ベトナムからの養子をあっせんする団体と養子縁組の手続きを進め、家庭調査と精神鑑定を終え、友人たちに電話をし、推薦状を書いてくれるよう頼んだ。新生活に思いを巡らせ準備を進める中で、優秀で多様性のある小学校の学区に家を買った。

　そして、キャットはデイビッド・アワーバックという、背の高いブロンクス出身のパン職人で哲学科の教授と出会い、二人は恋に落ちた。その数か月後、キャットは乳がんと宣告される。

「私たちどうしよう？」そう自分にもデイビッドにも問いかけたと、キャットは振り返る。養子が見つかったという連絡はまだ受けていなかったものの、手続きはかなり進めていた。まだ子どもを強く望んでいた。「私が望むことに、デイビッドも賛成してくれたと思う」

　キャットは養子の手続書類をいまだに保管しているものの――夢を手放すのは辛いものだ――先の見えない自分の健康状態を考えると、養子縁組を進めるのは無責任だと考えた。「子どもを迎えられるような要素が一つもなかった」と彼女は言う。

二度の手術と放射線治療の後、キャットのがんは寛解し、その後再発はしていない。二〇〇一年にキャットとデイビッドは結婚した。二人は、ノースカロライナ州ダーラムにデイビッドが設立した共同生活コミュニティに住んでいる。それぞれ独自の所有者がいる家々のすべてが、果樹が植えられ蜜蜂の巣が設置された中庭に面しており、二人は子どものいるご近所さんに囲まれている。二〇一三年に、キャットはベストセラーとなった『What The Dog Knows（日本未出版）』を発表した。これは、元気なジャーマンシェパードを捜索や救助活動を行えるようにトレーニングした経験から着想を得た、綿密にリサーチされた本で、キャットの人生に、子どもを含めさらに多く人々を引き寄せた。

「デイビッドと私が**子なし**《チャイルドレス》とは、言わないですね」とキャットは私に言った。「**子どもから解放**《チャイルドフリー》**されている**も宣伝文句みたい。どちらにも共感はしません」

家族や周りの住民に加えて、キャットとデイビッドは特にレジナルドと親しくなった。数年前にがんで亡くなった親友の自閉症の息子だ。子どもの時分にレジナルドは、キャットの飼う二匹のジャーマンシェパード、ソロとゼブをとても可愛がっていた。ある時など、公園で強そうな男の子たちのグループに「これはゼブ、僕の犬だよ」とレジナルドが言うのをキャットは見たそうだ。彼がどんな風に誇らしげに自分の犬だと示すために、ゼブの頭に軽く手を置き顔を上げていたか、キャットは私に見せてくれた。

　ある意味、キャットは子どもを持たないと自分で決意したけれど、別の視点から見ると人生がそうキャットに選ばせたのだ。「後悔がないと言ったら、違うでしょうね」とキャットは言う。日曜にふと襲ってくる、おなじみの郷愁について語っていた。「自分の好みをいろいろ考えても、もう少し家族が多かったら良いのに、とは思います」

　ミシェルは後悔していないものの、自然の成り行きに任せて避妊をやめ、もし妊娠したときには産もうと、夫のポールと決めたことがあったそうだ。「もし、自分で健康保険に入れていたら結婚していなかった。でも当時私は健康保険がなくて、必要だった。だから結婚したの」ミシェルはそう言う。「ポールと私がびっくりして腹が立ったのは、結婚したら世間が個人的な事情を尋ねる資格ができたと完全に思っているところだった。そうでなければ、私たちに向かって『妊娠したから結婚したんでしょ？』とか言ってきたりした。そう言われると大抵は唖然として、なんなら二人で冗談にしていた。離婚して、『ミシェルが妊娠したから離婚するんだ』って言って、皆に話のネタを本当にあげようかなんて話していたの」

　かつてミシェルは、別の作家にこう言われたことがあるそうだ。子どもがいたら、そんなに細かいことを気にしていられなかったでしょう、と。この作家は、女性と子どもの持つ知性と力をしばしば考察するミシェルの文章と講義のことを言わんとしていたのではないかと、私は想像している。「もし自分自身に子どもがいたら、自分が望むだけ生徒たちに心を開けていたかはわからない」ミシェルはそう認める。「**子どもから解放されている**ことで、血縁関係のある子がいた場合よりも、上手にできる部分があるのかもしれません」

私は、子ども時代から学生時代にかけて大好きだった先生たちのことを思った。お茶に誘ってくれたり、オフィスアワー[11]を独り占めさせてくれたり、弟が喘息で入院したときに小学生の私の面倒を見てくれたりした。皆から愛されていた高校時代の英語の先生以外、皆子なしだった。もしくは、子どもから解放されていた。もしくは、血縁関係のある子を持たなかった。

「彼女が好きな理由は」友人は言う。「一人でいることを心配していないから」。私たちはノースカロライナ州ローリーにある草が茂る丘に座り、ニーコ・ケースがこう歌うのを聞いていた。**こだまする合唱が、しがみつけ、もう少し我慢しろと嘘をつく**。ケースのように、友人も独身で四十代で、子どもはいなかった。彼女のライブを二人で観るのはこれが二度目だった——初めて観

11 大学などで教員が学生の質問を受け付けるために開放している時間。

たのは二年前で、そのときは私も歌手に対して同じようなことを考えた。ニーコだって子どもがいないけど、彼女の人生を見てよ。

教師や芸術家たちに、母親業の責任や、親よりも自分に似た人生の手本になる責任を負わせるのは間違っているように思う。その人たちの才能を狭くて勝手な視点から見ることになるし、私たちが手本とするその人生を形作った、複雑な個人の歴史を故意に無視することになってしまう。

とはいえ、私はあらゆるロールモデルに感謝しているし、その存在に飢えている。気候変動と農業をテーマとした新しい本の取材をしていて、こと幸せに関しては皆同じようなところに行き着くのではないかと考えているキャットに。私たちは、すべての子どもたちに教育、医療、芸術や文化に触れる機会を与える義務があると、確固たる信念を持つミシェルに。常識に立ち向かう印象的な女性の人物を描くメッカに。献身的な息子とおじで在り続け、正義を求めて確固たる信念を持つ有能な活動家となり、米国の優生政策の犠牲者への賠償金を確実なものとした最初の運動に貢献したウィリスに。ともに子どもを望んでいたキャットとウィリスは、ロスナーが言う「心的外傷後成長《ポストトラウマティックグロース》（ＰＴＧ）」を体現している――人生の危機を超えて自身のアイデンティティを広げ、余波の中で前向きな変化を生み出す能力だ。

リチャードと私は、アイスランドでオーロラを見ることはなかった。曇りすぎていたのだ。四駆車で定番の観光地を巡るツアーに参加した。シンクヴェトリル国立公園、グトルフォスの滝、ゲイシール間欠泉。午後の早い時間に、ガイド兼運転手のビルギルというたくましい男性に、もう一組のカップルと一緒にラングヨークトルのふもとまで連れて行ってもらった。アイスランドで二番目に大きな氷冠[12]だ。標高の最も高い部分は海抜千二百十九メートル以上あるため、アイスランド語と英語で「通行困難」と書かれた標識の前で、山道を登る前にタイヤの空気を抜かなければならなかった。ビルギルはロシア語のテクノをカーステレオで大音量で鳴らし、スーパージープ[13]を片手で運転して、轍《わだち》のついた道を進んで行った。ついにスノーモービルに乗る人たちのベースキャンプに着き、リチャードと私は深い雪の中を歩くために車外へ出た。

一年で一番昼が短い日で、空はすでに暗くなりつつあった。ブーツにアイゼンを装着して、本物の氷の上を歩くのを想像していた。けれど実際は、ツンドラの上をトレッキングした。広大でこれといった特徴のない地面がつづく様は、まるで夢の世界の果てしなさを思い起こさせるようだった。寒くて風が強すぎて、お互いの声も、今では氷河の上を走る遠くのスノーモービルの音

---

12 山頂部を覆う小規模なドーム状の氷河。
13 アイスランドで氷河や山道走行に利用される巨大ジープ。

も聞こえなかった。遠くからは小山のように見えた岩の方へと、私たちはさらにゆっくり進んで行った。かなり時間をかけて岩に着き、私たちは交互に岩の上に立ち、勇ましいポーズを取った。大地も空も雪も雲もすべてが、灰色と青の宵闇に溶けていった。去年のクリスマスにビーチで砂に書いたみたいに、雪の上に自分たちのイニシャルを書いて一番儚い形で自分たちの気持ちを表した。ＲとＢ。

これまでの人生でも、今の自分とは違う何かになりたいという、耐えがたいくらいの渇望が、安らぎや受け入れる気持ちに変わっていったことはあった。デビュー作が出る前は、ワシントンＤ．Ｃ．にあるＫＩＰＰ[14]のチャータースクールで長時間労働をしていた。短編集の出版元を見つけてくれると期待していた当時の版権エージェントはメールに返事をくれないし、執筆やコンテスト応募のための時間はすべて、授業計画や成績評価、学生の風紀に対するＫＩＰＰの厳格な方針に関連した事務作業など、もっと差し迫った仕事にあてられていた。この年に、私は妊活も始めていた。

リチャードは、私よりもさらに長時間労働をしていて、私の葛藤や望みを理解してくれた。二人とも、現状とは違う暮らしを望んでいた。もっと一緒に過ごす時間や執筆の時間が欲しかったし、家族も欲しかったし、ノースカロライナ州の家に戻りたかった。その冬、私には何も言わず、リチャードは私の短編集を印刷してコンテストに応募し、作品が受賞した。学校の春休みの最後の日に電話をくれ、本が出版されることを知らせてくれた、詩人のマイケル・コリアーと話しながら感じた高揚感と信じがたい気持ちを、今も思い出すことができる。

この話を他の作家たちに話す時は、二つのことを伝えようとする。自分の人生に自分を信じてくれる人がいることの大切さと、自分の作品を信じて続けていくことの重要さだ。「私は、それができていなかった」と人には話している——リチャードのしてくれたことは、これまでもらったものの中で一番寛大で予想のつかなかった贈り物だったけれど、自分の作品を、私がもっと応援すべきだった。私が書きたい作品を紹介していくことに興味のないエージェントを切るべきだったし、自分でコンテストに応募すべきだった。

でも、この話にはもっと説明しづらいけれど、きっと誰かのためになると思う部分がある。その冬、私は十一時間か十二時間の勤務を終えて玄関に足を踏み入れ、使われていない書き物机を物欲しげに見つめて、こんな風に思ったのを覚えている。**もし前の本が売れなくても**（売れなかった）、**もしこの本がどうにもならなくても、もう一冊書こう。続けていこう。**私は、急にも

14 KIPPは大学進学に特化したチャータースクールの運営NPOの一つ。

のすごく安心した。何が起きても、私はどうにかして書き続けるとわかったからだ。

　同じようなことが、リチャードとアイスランドに行った頃に起きた。まだ治療は諦めていなかった。だけど、もし今回結果が出なくても、次もその次もそうだとしても、私たちは何とかなるということがやっとわかったのだ。もちろん、それ以前にも言っていた——**何とかなる**は、ほとんどお経《マントラ》のようだった——けれど、よく呟いていたその言葉をやっと信じられるようになったのだ。アイスランドに行き氷河の上に立ったからではなく、これまでの経験が積み重なってのことだった。開かれていて勇気のあるウィリスと知り合ったこと。理解されていると感じられるピアサポートグループに毎月通ったこと。作家として、娘として、妻としての人生を生きてきたこと。

　この穏やかさと受け入れる気持ちは、経験から学んだ知恵のようにも感じるけれど、自然の力なのだと思う。体と心が解き放たれて、変化に必要な余地を作るのだ。どんな感情が生まれてきたとしても、それを受け入れられるようになった。リチャードと私はクリスマスイブの夕方、アイスランドから帰宅した。一分か二分だとしても、日は昨日よりも長くなっていて、西へ向かう飛行機は長いこと夕焼けを追いかけていた。私は、燃えるような色がやがて消え行く様子を眺め、次を思った。

The Whole House

第8章 この家一軒分

井戸掘り業者は風の強い一月下旬の朝にやってきたけれど、あまりにも暖かいので、父と冗談を言っていたみたいに、彼らのお尻がどれくらい冷たいか聞くことはできなかった。[1] それに、今はそんな風に仕事をしない――ショベルも使わなければ、前かがみになって実際に自分で掘ったりもしない。業者の大きなトラック三台は、我が家までの急な私道をやっとのことで上ってきた。ドリルを冷却し、井戸内の掘り屑を洗い流す水を運んでくるのに一台。全長六メートルの掘削ドリ

1 colder than a well digger's ass in January（一月の井戸掘り職人の尻より冷たい）という口語表現がある。

ルの刃先を運ぶのにもう一台。そして、掘削作業を支えるさく井機械を固定するのに一台。業者は、さらに深く掘ってもらうよう依頼をした井戸の上にさく井機械を設置する前に、ポプラの木とモミジバフウの木を一本、そしてヒイラギを数本切らなければならなかった。数分のうちに木々が倒され、切断され、丘の向こうに転がされて行くのを私はキッチンの窓から顔をしかめつつ眺めていた。**大丈夫。**そう自分に言い聞かせた。**木はたくさん生えているけど、水は足りないんだから。**

　リチャードと私が六年以上前にこの家を買って、お隣から我が家へ、両家が昔賃貸物件だった頃に水を運んでいた黒いぐるぐる巻きのパイプが伸びているのを見つけてから、いつかこの日が来ることはわかっていた。「借主さんってそういうことするじゃないですか」私たちがパイプについて尋ねると、ビル・スピーグルはそう言った。リチャードと私が生まれる一年前の一九七五年に、ビルは、建材に手作りしたものと廃材だけを使いこのキャビンを建てた。接地部分の面積と柱と梁の配置は、土地にすでに生えている木々や急な勾配を考慮して設計されている。太陽の光や熱をエネルギー利用するデザインや希望の眺望に必要となる、十分な大きさの窓の廃材が手に入らなかったので、ビルは自分でガラスを切り窓枠を取り付けた。屋根と垂木を支えるヒマラヤスギの柱たちは、敷地内から集めてきたものだ。さらにその柱も、ビルが掘り起こしてきて埋め直した岩の上に立っている。この家のありとあらゆるものが、七〇年代的なＤＩＹだった。「ビルが全部やったんだよ」我が家の配管工は素っ気なくそう言っていた。「まだあの人が人生を楽しんでいた頃にね」

　初めて家を内見した日、ビルは風水的に良い部分を見せてくれた。大きくて南向きの窓、古い猫足のバスタブに、ビルが手直しをした美容院のシンク。二ヘクタールの土地を歩き終え、ホー川へ続く地役権[2]が与えられた敷地部分を見終える頃には、不吉なパイプ管のことや、不思議なことに一つではなく二つ井戸が存在することを、あまり心配しないことに決めた。引っ越してきた後、ビルが正しかったとすぐにわかった――この家には、実際の七十四平米よりも広く感じさせる、言葉にしがたい何かがあった。どの窓にもカーテンをつける必要がないところも、春から夏はフランス窓[3]から玄関の網戸まで開け放して、コオロギやセミやフクロウの夜の祈りの歌を聴きながら眠れるところも気に入っていた。

　あまり水の出ない二つの井戸で何とか済ませられるだろうと判断して、私たちは井戸掘り業者

2 所有権を持たない土地を使用する権利。
3 床から天井までの高さがある両開きのドア。

を呼ぶのを可能な限り先延ばしにしてきた。不便さに慣れていき、洗濯するタイミングを計画的に考え、水圧の弱いシャワーから飛び出しては裸で家の前の私道に出てタンクを切り替え、ちょろちょろ流れる水で食器を洗った。ある意味、井戸の水量の少ないことは良い面もあった。節水を心がけ、限られた水資源をガレージにおいた計器で測定し、気にかけるようになった。私は井戸の中がどうなっているかわからなかったし、いつも水が出なくなることに怯えながらも、二つの井戸の状態にかなり順応していった。だけど、結果がどうなるかわからない何かに何千ドルもかけるのに、良いタイミングなんてあるのだろうか？　芸術の学位を取るようなリチャードと私ですら、出した答えは、そんなタイミングなんかない、だった。

「保証はありません」さく井機械が掘り始めると、マネスさんは朗らかに言った。W.W.マネス・アンド・サンズのチャタム郡さく井工事業の許可番号は五十八番で、長いこと商売を続けていることがわかる。確かに保証はないし、もう数十メートル掘ったらもっと水が出るのか空井戸なのか、どんな井戸でもわかる術はなかった。我が家の敷地周辺の小山と岩が多い土地は、運のない農家や土地の所有者が次々に井戸を掘ってきたことで知られている。最も疑い深い人でも、フォークの様な棒で土地を「占い」、どこに井戸を掘るのが一番良いか決めるダウジング屋を雇っていた。**雇わない理由がある？**　皆そう考えるのだ。ダウジング屋はわずかな謝礼で占ってくれる――長年やっている人の中には代金を一切受け取ってくれない人もいる――そして占ってもらった結果、水のよく出る井戸を持っているご近所さんや友人を、誰もが一人は持っていた。

我が家はすでに地下六十一メートルまで掘っていた。けれど水は無くなっていた――「一滴もありません」と、マネスさんは言った。三十センチ掘るごとに十ドルかかり、既存の井戸に機械を配置する基本料金として八百ドルがかかっているので、すでに三千ドル近くをつぎ込んでいた。さく井機械に新しいドリルの刃先を取りつけ穴に降ろす間、作業はゆっくりになった。重い棒がゆっくりと地面に消えて行き、さく井機械の背後で排水と岩の破片が木々の間に吐き出される様を、私は突っ立って眺めていた。お金のことは考えないよう努めた。

「お隣の井戸の説明書きを確認したところ、深さ百九十五メートルで一分あたり七十六リットルの水が出てますね」マネスさんは、丘の上の隣家の井戸の方を指してそう言った。そのことは私も知っていたし、それくらい深く掘る心の準備もしていた。ただ、その家の井戸は百九十五メートルまで掘るまで何も出なかったことも知っていた。

「水はそれくらい深いところにしかないと思います？」教科書に載っているみたいな、青くて平らな帯水層[4]を思い浮かべながら、私は聞いた。

マネスさんは肩をすくめた。**静脈みたいなものですから、**と空中にひねった形を手で描きながら、もうそろそろ水が出ると思われるとも言った。

井戸掘りを待つ間、百五十二メートルでやめようと思ったかとか、百六十七、百八十二メートルではどう思ったかとかご近所さんに聞けたら良かったけれど、二年前に双子が生まれ、町へ引っ越してしまっていた。

家の中に戻り、私はもう一つの心配事を思い出した。こちらもまた、お金と不確かさから来る不安でいっぱいだった。ここ二日ほど、複数の薬局に電話をかけては、私にとって初めての体外受精治療の周期に必要な、卵巣機能を抑制してから刺激する薬剤が一番安く手に入るところを探していたのだ。

私たちが決断をするまで本当に長い時間がかかったので——最初に不妊治療専門医を訪ねてから二年以上経っていた——ヤング先生の診療所は、近くの大学病院からローリー郊外のオフィスビルに移転していた。けれど、私は診察のときにポケットサイズのノートにぱらぱらと書き込んだメモをまだ持っていたし、最初の診察で先生に「体外受精治療であなたを妊娠させられる自信が九十パーセントくらいあります」と言われたのをはっきりと覚えている。体外受精はまだずっと先のことに当時は思えた——まだ他に、もっと手頃で先に試したい治療法があったのだ——だから、先生のその予言はメモを取らず、そう言われたことと、**医者に妊娠させられる**という考え方にリチャードと二人でむっとしたことが、記憶の中にだけあった。

本当に深く個人的で、長く待ち望み理想の自分の一部分となっていることに対して医療の存在が必要だというのは、生殖補助医療の体験の中でもおそらく最も屈辱的な気づきだろう。子どもを授かる前に、検査を受けて薬を飲み注射を打たれる必要があったり、卵子を採取し体内に移植する前に、夫の精子とラボで受精させる必要があったりする、なんて誰も想像しないだろう。私たちの多くは、体と生殖能力を水のように当たり前のものだと思い込んでいる。

だから、私たちは別のそこまで踏み込まない方法を試した。内服薬も試したし、人工授精も鍼治療もタイミング法も、妊活を休むことも試した。二〇一二年の七月、このすべてが失敗に終わった後、再び医師のもとを訪れて、予想される体外受精治療の内容についてメモをとった。鉛筆での走り書きの中には、治療がどんなものになるかをすべては理解できていなかったことがわかる、短い言葉が書かれていた。「適度な薬」とか「朝の超音波検査が五回」「六週間のプロセス」「二週間はめちゃくちゃ忙しい」とか。こうしたメモには下線が引かれ、「薬含め大体一万三千ドル、一回分」と書かれていた。

4 地下水がたまる地層を指す。

夏頃から上の井戸の調子が悪くなってきたように、自分たちの時間がなくなりつつあるのを私は知っていた。三十六歳で、妊娠する力が急激に減っていく年齢をすでに過ぎていた。水不足に順応してきたみたいに、私は子どものいない自分の人生に多くの面で順応してきた。けれど、やはり大切な何かが足りないような気がしていた。子どもを迎えることは、いつだって自分にとって当たり前のことだと思ってきたから、その経験が欠けている自分の人生は想像し難いものだった。何のためにわざわざ育児の情報を集めてきたのか？　何のために絵本を全部取っておいて、田舎のこの家を買って、この男性と結婚したのか？　何のために母になる自分を、父になるリチャードを思い描いてきたのか？

だから決断した——アイスランド旅行直前に予約を取り血液検査を受け、帰国の数日後、治療費を払った。今まで一括で支払った金額の中で一番大きな額だった。私たちはリュープリン[5]を太もも上部に自己注射する方法や、フォリスチムとメノピュール[6]を腹部の皮下脂肪に注射する前に一回分の投与量を混ぜ合わせる方法を、YouTubeで観た。

リュープリン、フォリスチム、そしてメノピュールを買うのは全くの別問題だった。奇跡的に私の健康保険に対応していた特殊医薬品の通販薬局は、対応が遅くてはっきりしなかった。いつ発送されるかは言えず、しばらくお待ちくださいと言うばかりだった。電話で話した人は誰も、私が注文していた薬剤名をどう発音するのかとか何の薬だとかを知らなかった（だから保険が使えたのかもしれない）。それに、看護師からメールで送られてきた治療スケジュールで、投薬を開始しなければいけない日程が決められていて、差し迫っているのを理解していないようだった。

その朝、この薬局に二度目の電話をかけた。小さな我が家を揺らすドリルの振動音越しに、自分の声が顧客窓口の担当者に聞こえることを祈りながら。

録音された応答メッセージは、もっと大変な状況もあり得るのだと思い出させた。「がん患者さんは二を押してください。アボネックス[7]を服用中の患者さんは三を、アボネックスを服用していないＭＳ患者さんは四を、肝炎の患者さんは五を押してください」私は「その他の患者さん」用の七を押して、自分の運が良い部分を考えようとした。

けれど電話が窓口担当者につながるやいなや、私は生命維持に必要な何かを注文しようとしている患者の人格を、自分の中に降ろしていた。「この薬が必要なんです」私は、自分の注文内容を

5 主に子宮内膜症の治療に用いられる薬品で、体外受精においては排卵をコントロールする目的で使用される。
6 フォリスチムは排卵誘発剤で、メノピュールはＭＧ（ヒト下垂体性腺刺激ホルモン）を主成分とし、薬剤に含まれるＦＳＨ（卵胞刺激ホルモン）の効果で卵巣に働きかける。
7 多発性硬化症（ＭＳ）の薬。

ゆっくりと確認し、〔リュープリンの成分名である〕リュープロレリンという言葉を発音するというより綴りを一文字ずつ読みあげている女性に言った。「水曜までに必要なんですけど」

「至急って書いておきますね」と確約はせずに担当者は言った。

数時間後にかけ直す、と私は伝えた。

電話を切り、カメラを持って表に出ると、トラックや、さく井機械や近くの木立に薄い泥の膜ができている様子を写真に撮った。費用と取り組みの記録だ。それから耳を手で塞ぎながら、さく井機械のそばに立った。マネスさんが私に気づき、申し訳なさそうな顔で近づいてきた。深さ百八十二メートルまで達していたけれど、成果と呼べるような水はまだ何も出ていなかった。私は、垂直百八十二メートルを想像しようとしたけれど、できなかった。

業者は、持ってきたドリルの刃先を全部使い切ってしまい、また翌日に戻ってこなければいけなくなった。「岩が変わってきていますよ」とマネスさんは言い、岩の色が暗くなり柔らかくなってきた旨を説明してくれた。それならば私にも想像できた。泥の様にぼろぼろと崩れる岩が、水にすっかりと浸かっている様子。「良い兆しかもしれません。でも掘って、あと六、七十メートルというところですね。それ以上は掘れません」

ビル・スピーグルは、近所の人に私たちを紹介する際、いまだに我が家をヒッピーハウスと呼ぶ。実際に区画の図面にもその名が記載されている。彼がこの家を建てた当初、家の造りは一辺九・七メートルと四・八メートルの一間だった。敷地内の倒木を薪ストーブにくべて、庭に埋めた杭に引っ張った電力会社の仮設電気を電源にして二口のホットプレートで料理をして、浴室の上のロフトで眠っていた。当時の浴室には、私たちが最初に心惹かれた猫足のバスタブとシンクがあったのに、トイレとドアがなかった。ビルが五年間、屋外トイレを使うか庭でおしっこをしていたところ、当時付き合っていた女性がビルのいう田舎暮らしにうんざりして、ラリーにある製薬会社グラクソで彼が勤務中に、物々交換で手に入れた便器をフォルクスワーゲンのビートルの後ろにくくりつけたのだった。「会社のカメラマンが写真に撮っていましたよ」とビルは言った。車でトイレを家に運び、取り付けて、ガールフレンドとはその後数年続いたそうだ。

今はもう、ビルはそういう暮らしはしていない――道路の向かいの四ヘクタールの敷地には川沿いに自分で建てた二百七十九平米の家をもう一軒、そしてチャペルヒルにLEEDという環境に配慮した建物に与えられる認証を受けたマンションを一室持っている。けれど、一九七〇年代にビルや彼のような人々をチャタム郡に惹きつけた「大地へ帰れ」[8]運動の精神は、歳をとった（そしてかなり裕福な）ヒッピーのご近所さん自身ではなく、ビルや他の家の所有者が逃げてきた郊外の文化に抵抗するべく作られた、厳しい制限約款が付帯するこの家と土地の権利証に色濃く残っている。道路を数キロ下ったところの、チャペル・リッジとかローレル・エステートみたいな名前の新興住宅地は、別の類の暮らしを謳い、巨大な給水塔から図体の大きなレンガ作りの家々（看板には「三百七十ドルから」と書かれている）に水が引かれ、間隔を空けて植えられた背の高い松の木立には日陰が全然ない。私の住むコミュニティでは、敷地の境界線から最低でも二十三メートルの距離を取らないと家が建てられない。ハロゲン灯やナトリウム灯は使えないし、景観にそぐわない豪邸は建ててはいけない。敷地内の木を五十％以上伐採してはいけないし、区画をさらに分割してはいけない（各区画は最低二ヘクタールはある）。そして、土地をさらに買わない限りたくさんの子どもを持つことは許されておらず、住んでいる家族一人当たりにつき、〇・四ヘクタールの土地を買わなくてはならないと約款に制約が書かれている。

　私は、各区画が見えない線で細かく分けられていて、ご近所さん同士がそれぞれ自分の〇・四ヘクタールの区画に立ち、両腕を広げて、ヒッピー版の巨大な天大中小[9]で遊んでいるのを想像するのが好きだった。リチャードはこの決まりに法的な効力があるわけがないと言う。それでも最近、六人家族が二ヘクタールの区画を買おうとしたところ、契約は成立しなかった。売主の代理人である不動産会社は、この一家に特約を免除する提案書を持って近所中を車で回っていた。我が家も同意署名をするか議論をした（リチャードは同意していて、私は反対していた）けれど、結局どちらでも良くなった。他の誰も署名をしたがらなかったので、その一家はどこか別の土地を買ったのだ。

一九七〇年代初期から中期にかけては、ちょうどビルや他の土地所有者が「一人あたり〇・四ヘクタール」の特約の草稿を書く前の頃で、（世話をできる限りたくさんの）子どもを持つことが、米国の歴史の中で唯一支持を失った時代だった。出産を奨励する思想への文化的抵抗が、様々な形で起きたのだ。フェミニストたちは結婚と母親業の息苦しさを非難し、子どもから解放された暮らしを支持する人々が、子どものいない人生の利点を主張し始めた。もっと恋愛や旅行や芸術や自己実現のための時間が増える。もっとお金が手に入るし、セックスももっと良くなる。「自分の選びたい方を選びましょう」とエレン・ペックは、一九七一年に発表した風変わりな性差別的な著書『The Baby Trap』の中で書いている。この本は、子どもから解放された暮らしが、魅力

8 都市を離れ田舎で自給自足の生活を目指した運動。
9 四つのマスを地面に書いたボール遊び。

的で在り続け男性を捕まえておくのに一番の方法だと提唱している。「家事と子どもを選ぶか――それとも自由な人生の魅力や他者との関係、ワクワクすることを選ぶか」と書かれている。けれど、できるだけ多くの木々を保護して、無駄な電灯で夜空が見えなくなるのを防ぎたいと考える男女に、おそらく最も説得力があったのは、ポール・エーリック〔米国の生物学者〕が『人口爆弾』の中で主張した「すでに人口が増えすぎた」という意見だろう。

　エーリックのベストセラーとなった著書は、一九七〇年代初頭には本格的な社会運動になり、三十州に支部を持つ団体で人口増加ゼロ（Zero Population Growth）を意味するZPGを生んだ。エーリックは、人口増加はもはや手の施しようがない「がん」であり、人類が絶滅に向けて増加の一途を辿る前に、切除される必要があると考えた。「マザー・オブ・ザ・イヤーは、避妊手術をして養子を二人迎えた母に贈られるべきだ」全米の大学キャンパスで観客に挨拶をされると、彼は好んでそう言った。その台詞が、あまり観客に響かない場合は、「二人で終わり《ストップ・アット・トゥー》」という、覚えやすい代替案を用意していた。

　それが功を奏したようだった。ビルが我が家を建て、住民を制限する特約の構想を練っていた一九七五年には、米国民の女性一人あたりの合計特殊出生率は三・四人から一・八人にまで減少し、全体で毎年一％の人口が減少していた。一・八人の子どもというと、遊牧民のテントや、我が家のような小さな「ヒッピーハウス」に住む様子が想像できる。もしくは子どものいない暮らし――リチャードが街のリサイクルショップで収集した『Shelter』や『Woodstock Handmade Houses』などの本の中に出てくる遊牧民のテントやらキャビンやら小屋は、がらんとしていて子どもの住む家にしては片付き過ぎていた。茶色くなった写真のページをめくっていても、はた織機やイーゼルや木工作業場は出てくるけど、ゆりかごやおもちゃは見つからなかった。

子どもは二人で終わりにするということは、世代交代をして、均衡を保つことを示唆する。人口増加をゼロにするという考えには、何か数学的に優雅なものがある。私のピアサポートグループでは、ほとんどの人が子どもを一人産むか、確実に乳児を養子縁組できたら、それで満足する――むしろ心から喜ぶ――と言っていた。けれど、多産の誰かのために自分の子の数を減らしたいという人は誰もいなかった。エーリック自身でさえも、精管切除の手術を受ける前に一児の父となっている。

その夜、マネスさんから説明されたように、私はリチャードに選択肢を説明した。井戸を掘るのをやめて少ない水量でなんとか暮らすか、掘り続けてもっと水が出ることを祈るか、別の場所に違う井戸を掘るか、持っていた井戸を修復するか。それぞれの選択肢の費用と、それでどれくらい貯金が減るのかは既に計算してあった。井戸の修復には、何百リットルから何千リットルもの高圧水を水量の少ない井戸の中に噴射する作業が必要で、ゆうに五千ドルはかかるけれど、新しい井戸を掘るのも同じくらいの費用がかかる。もっと水が出る確実な方法は何もなかった。

私は築百年のログハウスで育ったので、倒木や水道管の凍結、嵐で井戸が緑色の雨水で一杯になるなど、いろんな形で家や敷地が盾突いてくることがあるのをよく知っていた。リチャードはワシントンD.C.の郊外で育ったので、この家を買うとき、リチャードが不便さを嫌がるのではないかと心配した。二人一緒では都市部にしか住んだことがなかったし、ほぼ毎年、別のマンション、別のエリアに引っ越していた。何か故障したときや補修が必要なときに大家さんに電話できる便利さや、レストランや音楽を聞く場所、そして店が近かったのがありがたかった。私たちが買った家——つまりこの家——は、最寄りのガソリンスタンドから十六キロも離れている。外灯を制限する約款があるため、夜は星明かりしかない真っ暗闇だったので、引っ越したての頃、私のニューヨーク生まれの祖母みたいにリチャードが怖がって、我が家の全然使っていないカーキのロールスクリーンを降ろしてマスキングテープでぴったり目張りをしたらどうしようかと思っていた。

だけどこの家が、ここでの暮らしが、リチャードを変えた。プライバシーが守れることの良さを味わい、配管をしたり、チェーンソーをかけたり、家の前の私道を補修したり、今までは必要なかったスキルを習得する機会を享受していた。本棚には、家の修繕や廃材活用の本（『電気の基本』『工具がなくても家具を作る方法』）や、一九七〇年代に書かれた自分で家を建てるマニュアル本を揃えた。近頃は非常事態の備えに関心を持っていて、それは二人の個人的な状況が孤立していることにも、大型の嵐や長期間の干ばつが起きる頻度が増えていることにも関係しているのではないかと私は思っている。

「水が出なかったらどうしよう」ネットで見つけた井戸修復のデータ表をスクロールしながら、私は言った。本当に怖かったのは、井戸も体外受精も、自分たちの頑張りがうまくいかず資金も使い果たしてしまったら、他の方法を考えなければいけないということだった。

リチャードは落ち着いていて、マイナスの部分ではなくプラスの部分に気持ちを集中させていた。「何とかなるよ」と言った。足りない分の費用を稼ぐ方法を何とか考えるよ、と言っていた。私は、彼が冷静に重大な決意をする様子に自分の父を強く重ねてしまったことにも、伝統的なジェンダーの役割にやすやすとはまっている自分たちにも感じ入った。まるで、それに従うことで欲しいものが手に入りやすくなるかのように。彼は先立つものを集めてきて、私はそれを管理し、もっと集めてくるよう彼を鼓舞する。よくある話だ。

私はよく、予想しようがないことをリチャードに約束させるけれども、今やらなければいけないのはそんなことではないとわかっていた。代わりに、薬局への電話のことや、深井戸で一分あたり何リットルの水が出るとか注射薬で卵胞の抑制と刺激をするとかいうどちらの話も、わかってくれる知り合いなんていないのではと疑っていることについて話した（もしかしたらご近所さんたちは、どちらについても感づいていたかもしれないと後になり思い当たったけれど）。ある意味、私たちが目指すものは馬鹿みたいに謙虚なものに感じられた――赤ちゃん一人に、もう少し広い家、気兼ねなく洗濯してシャワーを浴びられるだけの水――それでまた孤立した気持ちになった。「毎分三・八リットル」私は言った。「それで手を打つのに」。一分あたり三・八リットルの水でやっていけるのは、確実だった。

時々、割れた卵の殻と黄身が出てくる悪夢を見ていたのだけれど、その頃は赤ちゃんの出てくる良い夢を見るようになっていた。小さな胴体の重みや、頭の甘い匂いや、笑った顔を夢で見ていた。これといって私にもリチャードにも似ていなかったし、夢の中では自分たちの子だとは気づいてもいなかった。

だけどその翌朝目が覚めて、自分たちの赤ちゃんなのかもと思った。それから丘の上にはまだ、いかにもお金がかかっているという風情でさく井機械が止まっていることも、不確かな状況も思い出した。

水が出なかったときに、諦めるか違う場所を掘ってもらうか一緒に決められるよう、リチャードは家に残った。作業員は早くから取りかかっていた。今や、掘っているのかトラックがアイドリングしているのか、音だけでわかるようになっていた。私はソファに座り仕事をしようとして、その間リチャードは窓際に立ち外を眺めていた。「何か変わってきたよ」しばらくすると言った。「水が増えた」

私は立ち上がり、さく井機械が掘り屑を吐き出しているあたりを見た。「ずっとあんな感じだって」と言った。「昨日もあんな感じだったよ」

けれど数分後、ショベルや、ポリタンクを切って作ったスコップを持った作業員がうろうろしているとリチャードが知らせてくれた。排出用のパイプ管に新しい塩化ビニルの管をはめて、かつて硬い岩だった灰色のぬかるみに溝を掘っていた。それが何を意味しているのか考えているところで、マネスさんが玄関に現れた。

「もう大丈夫ですよ」彼は言った。「毎分十九リットル出てます」

私たちはハイタッチをして、喜びのダンスを踊った。毎分十九リットルは二人には十分だったし、家族が増えても十分な量だ。靴下のまま濡れたポーチに出て、マネスさんがまだ作業の残っているさく井機械の方へ戻っていくのを見ていた。水脈の下までさらに掘ってから、地下深くで水を掘り当てた三十四節におよぶドリルの刃先を抜くのだ。逆の結果も大いにあり得ただろう。深い空井戸を持つご近所さんもいれば、農場全体に水やりできるくらいの井戸を持つ人もいる。私たちはその中間といったところで落ち着いたけれど、農場を始めるつもりはまったくない。

「これで十分ですよ」マネスさんは三台のトラックで作業員たちと帰る前に、もう一度私たちを安心させるように言った。「この家一軒には十分な量です」

Takeover

第9章 体の乗っ取り

二月、家の水道水からは、一か月前に井戸を消毒した塩素のタブレットの匂いがまだしていて、我が家は温水プールみたいに湿って親密な感じがしていた。宅配便のドライバーが体外受精の薬の初回分を届けにきたときも、薬品を洗い流そうと、白い洗濯物ばかりで洗濯機を何度も回していたところだった。「**ナマモノ至急開封**」と書かれた大きな段ボール箱を三つ受け取り、サインした。小道具みたいに驚くほど軽く、手伝おうかというドライバーの申し出を断り、家の中に運び入れた。

宅配トラックが去った後、それぞれの箱を開けると、まるみのある発泡スチロールの保冷ボックスと凍った保冷剤の中に、リュープリンとフォリスチムとメノピュールのカートンが梱包されていた。薬剤と注射用シリンジと使用済針用のケースとアルコールの消毒綿をキッチンテーブルに並べた。人生でこんなに注射を打つのは初めてだし、こんなに薬を飲むのも初めてだった。十一個のカートンと三種類の大きさの針と何ページもある説明書と注意事項を写真に収めた。それから、見なくてすむ所に全部しまった。

体外受精が機能する仕組みを説明するのに、担当医は**乗っ取る**という言葉を使った。**我々があなたの周期を乗っ取ります**、と先生は熱心に言った。まるでこう言うみたいに。**ご自身の子宮内膜が厚くなるまでの期間が短いとか、子宮内膜が薄いとか、いつ排卵か計算するとか、心配しなくて大丈夫ですよ。あなたの体に、そうした生物学的な働きができるとは信用していません。あなたの代わりに我々がすべて行います。あなたの体に。**

この乗っ取りの最初の手段にはリュープリンを使う。この薬は、思春期早発症や前立腺がん、子宮内膜症などの治療や、トランスジェンダーの可能性がある子どもの思春期を遅らせるために処方されることが多い。体外受精では、リュープリンは主に［エストロゲンの分泌を］抑制する効果がある。IVFの手順が初めての人は、まず経口避妊薬《ピル》を飲み、それからリュープリンとピルを同時に服用するのだと知ると、驚く。月経が来るのを待ち、リュープリンの注射を続け、その後投薬したリュープリンが和らいでいく中でゴナドトロピンという卵胞刺激ホルモン（ＦＳＨ）［ゴナドトロピンには黄体形成ホルモン（ＬＨ）も含まれる］を追加する。リュープリンは下垂体のある部分を抑える作用をし、疑似的に閉経期の身体の状態を作り出す。生殖補助医療の医師は、卵巣のう腫の予防や月経開始のタイミングの調整、あるいは一つだけの卵胞の発育を促進するという、身体が元々持つ生理機能を抑制するためにリュープリンを使用する。体外受精治療では、多くの卵胞を育てたくさんの卵子を採卵することを目指すけれど、リュープリンはそれを可能にする。生殖補助医療で使用される多くの薬品のように、本来の治療目的以外で処方されている。

私は「リュープリンの危険性」で検索し、体験談が投稿された掲示板や、訴訟例や証言が載っているlupronvictimshub.comというサイトや、弁護士の広告、そしてNational Women’s Health Network［全米女性の健康ネットワーク］というフェミニストの医療系ロビー活動グループが発行した詳細な（説得力もある）リスクの概要を見つけた。同団体の機関紙『Women’s Health Activist』の編集者であるスーザン・Ｋ・フリンの記事によると、「ＡＲＴ患者に対するリュープリンの安全性に関する予想も臨床研究も何もない」そうだ。フリンは、リュープリンが先天性欠損症の原因となることや、ＯＳＨＡ［米国の労働安全衛生局］により有害薬物に分類されていることを指摘している。さらにＯＳＨＡは、医療従事者がリュープリンを取り扱う際は保護手袋を使用し、妊娠や父親になることを考えている人は完全に避けるべきだと勧告しているのだ。フリンは、lupronvictimshub.comから集められた次のような取り乱した声を記事の中に交えている。

> 　リュープリンの投与が始まってから合計十七人の医師のところに行きましたが、色んな診断をされ、きりがないように感じています。なぜ今も起きているこの薬の副作用を、医療業界で調査してくれる方が見つからないのか分かりません。まったくの健康体だったのに健康上の問題が色々出てきたとしたら、薬に何か絶対おかしなところがあるし、リュープリンの投与をし始めてからそれが始まったって、心の中では皆さんもわかっているでしょう。私一人じゃないってわかっています。以前は私だけかもと思っていましたが、リュープリンを投与されたことのある方々と個人的にお話しして、その方たちが同じ問題を抱えていると知りました。

　ARTの治療周期において、厳密にどの薬で何の副作用が出ているのか判断するのは難しいものの、のぼせ、涙もろくなる、不安障がいなどリュープリンに対する様々な不満を何度も耳にしたことがある。重度の子宮内膜症や子宮筋腫の治療などで長期的にリュープリンの投薬を行った場合、骨密度の低下、ひどい頭痛、慢性的な全身の痛み、うつ、免疫系の障がい、そして麻痺などの副作用が長期にわたり起こる可能性がある。リュープリンを製造する製薬会社であるTAPファーマシューティカルズ[1]は二〇〇一年に、違法キックバックやメディケア〔高齢者向けの医療保険制度〕利用者への詐欺行為を通じて、医師にリュープリンの利用を促したことに対する訴訟の和解金として八億七千五百万ドルを支払っている。ネットでは、数百件の死亡事例を含むリュープリンの有害事象の報告が、一万二千件から二万二千件ほどFDA〔米国食品医薬品局〕に寄せられたという記事を見つけた。

　医師に勧められた従来の体外受精治療の周期では、私は二週間この薬を注射することになる。自然周期法と呼ばれる、本来の月経周期に合わせて体内で作られる卵子を一つ採取する方法か、アンタゴニスト法と呼ばれる、ガニレストというアンタゴニスト薬をリュープリンの代わりに使う方法ならば、リュープリンへの暴露を抑えることも可能だった。担当医は、リュープリンにより脱感作現象を生じさせ[2]、月経の開始をコントロールし、初期の卵胞発育を抑制する方法は、私

1 二〇〇八年に武田薬品工業株式会社に完全子会社化された。
2 ゴナドトロピン放出ホルモン（GnRH）受容体の感受性を低下させ、間接的に卵胞刺激ホルモンと黄体形成ホルモンの分泌を抑制すること。

と同じ症例の人たちの中で一番成功率が高いと言った。待つ以外の、これまでにとった選択肢すべては、可能性を上げるために慎重に考えたものだった。ヤング先生の提案通り、もし対処すべき問題がでてきた場合に備え、クリニックの新しいラボで体外受精治療を受ける患者の最初の会合にも参加しなかった。

生殖補助医療のはしごを登る人によくある経験だけれど、クリニックから六週間の投薬予定表を受け取る頃には、私の恐怖はすでに違うところに向いていた。三つの生殖補助医療クリニックで何年も治療を受けて妊娠した友人は、こう表現していた。「はじめは私も間違いなく、ホルモン治療の薬で自分の体に長期的な影響が出ないか心配してたんだけど、治療を進めるにつれ自分への影響はどんどん構わなくなったな。『**絶対に**体外受精はやらないし、強い薬は使いたくない』って思ってたのも覚えてるけど」

私も同じことを思っていた。だけど、とても複雑で骨の折れる体外受精の周期は、体に対する恐れを生殖に対する不安に変えてしまい、急に**これで足りるの？**と思うようになってしまう。科学者で元平和部隊[3]ボランティアの友人が、国内でも有数の自然周期の体外受精治療クリニック――マーサ・スチュワート[4]の初孫が生まれた病院だ――の研究に参加するためにニューヨークに行った。研究は、最小限の注射による投薬が必要な「ミニ」体外受精治療と、三十回から五十回にわたる注射が必要となる従来の体外受精治療の違いを評価するものだった。ミニ体外受精治療を実施する医師が、一回の周期で一個か二個の卵子を採卵する一方で、従来の治療法では、二十個以上の卵子が作られる。治療法はランダムに振り分けられ、私の友人は高額な注射を何回も打つ、かつて恐れた従来の治療法を引き当てた。卵巣への負荷が少ないとか、卵巣過剰刺激症候群のリスクがないとか、もっと健康な卵子になる可能性とか、数か月もミニ体外受精治療のメリットを調べていたにもかかわらず、友人は安心したそうだ。いざ周期を開始する段階になり、できるだけたくさんの数を採卵し、成功率が上がることを望んだのだ。

人類史のほとんどの時代において、医師たちは人間の生殖について、現代の一般的な中学生が保健の授業で習う内容以下のことしかわかっていなかった。卵子の存在が確認されたのは一八二七年のことだった。妊娠するには精子が卵子に受精する必要があることを科学者たちが発見するのに、さらに十六年かかった。不妊に対する民間療法は何千年も行われてきたものの、西洋医学

3 米国で青年海外協力隊に相当する組織。
4 家庭用品の企画販売の米国人実業家。

界は効果が期待できる治療法を発見するまでに、何十年も模索した。マリオン・シムズという、十九世紀の中頃に診療を行っていた外科医兼婦人科医は、問題の一つはたどり着くまでの手段にあると推測した。精子が目標物を見つけやすくするために、患者の子宮頸部を恐ろしい見た目のクスコ膣鏡で広げ、自身が「天上の性交」と呼んだ人工授精の初期の研究を完成させた。六組のカップルに行った五十五回の試みの中で一度だけ成功したと報告しており、それはおそらく月経中に排卵が起きたからだろうとしている。他の医師たちも不妊の原因を調査した。ハーバードの医学部教授エドワード・クラークは一八七三年に、教育を受けすぎることが「女性の脳を巨大にし、体の発育も悪くなり」生殖器に損傷を与えることを示唆した。男性は、売春婦とセックスをすると不妊になると一般的に信じられていた（これは場合によって事実であった可能性がある）。

二〇世紀初頭には重要な性ホルモンが発見され不妊検査が確立されたものの、患者がホルモン治療を受けられるようになったのは、一九五〇年代後半のことだった。それも、解剖用の死体の下垂体や閉経後の女性の尿から作られた薬剤を使い、見込みがあるもののリスクの高い治療だった。スウェーデン人の医師カール・ゲムツェルは、月経不順の女性の排卵誘発にゴナドトロピン［性腺刺激ホルモン］を使用した先駆者だが、患者の一人が六つ子を早産で亡くした後、研究をやめる寸前までいった。「自分には、これ以上多くの患者に多胎妊娠の恐ろしいリスクを抱えさせる権利はないと感じた」と、ゲムツェル医師は一九六六年に雑誌『Australian Women's Weekly』[5]で語っている。その頃には、ゲムツェル医師の症例の記録は他七か国のクリニックに広まっていた。「私のしたこと――六人の赤ちゃんを一度に出産する苦しみを女性に味わわせる原因となることを行うのは、恐ろしいことでした」。ゲムツェル医師がその後すぐに考えを改めたのは、四人の患者が単胎妊娠し、健康な子を出産したからだ。この赤ちゃんたちが再び希望と自信を与え、「母親たちの喜んだ顔や、父親たちの幸せそうな顔は、見ていて素晴らしいものでした」と医師は語っている。ゴナドトロピン注射の治療法を使っていたゲムツェル医師と他の医師たちは、効果を発揮する最低量の投薬を試みたけれど、それぞれの周期の結果を予測するのは不可能だった。単胎妊娠で健康な子を出産する患者もいれば、最も多い場合で七つ子という身体的負荷の大きい出産に直面する患者もいた。不妊症のカップルたちは、おそらく長期間の入院や辛い死よりも、にぎやかな子ども部屋を想像して治療のリスクを受け入れた。「四つ子、五つ子、さらには六つ子さえあり得ると――子どもが本当に欲しかったので」あるスウェーデン人の主婦は前述の雑誌で

5 オーストラリアの女性誌。

答えている。「いちかばちか賭けようって決めたんです」。何年も後に、ゲムツェル医師がゴナドトロピン採取に使った、解剖用の死体が感染源となり、クロイツフェルト・ヤコブ病[6]で患者の何人かが亡くなっている。

ゲムツェル医師の治療はリスクが高く、現代の基準からみると杜撰《ずさん》なものだけれど、彼の患者は生殖機能の乗っ取りをいち早く経験した人々であり、彼が発展させた治療法であるゴナドトロピン注射は今も世界中で不妊治療医に使用されている。この治療を検討したり実際に受けたりした女性たちが、どんなことを考えていたか想像するのは難しい――インターネット普及以前の時代には、苦労して調べた情報や恐れをシェアする掲示板もなかったし、報道記事は六つ子や七つ子の死亡を伝えてはいたものの、幸せな母親の声ばかりを取り上げることが多かった。**五つ子なんて、ついてるなぁ！** 不妊の女性は、喜びに溢れる魅力的な五つ子の母親の写真を見て、そんな風に思ったかもしれない。

生殖医療は、患者の治療内容への説明がないか、不十分だった長い歴史を持っている。記録上最初のドナー精子による人工授精は、一八八四年にフィラデルフィア州に住んでいた裕福な女性に対して実施された。女性は麻酔をかけられていて、息子の生物学上の父親がハンサムな若い医学部生で、自分の（淋病の）夫ではないとまったく知らなかった。イギリスの工場職員で、世界で初めて体外受精治療を経て出産をしたレスリー・ブラウンも、自分が先駆者であることを知らなかった。「ステップトー先生から、赤ちゃんを作るその治療法に成功事例があるとは聞いた覚えはありませんし、私も確かに尋ねませんでした。ただ、母親の子宮外で授かった子どもたちがすでに何百人も生まれているんだろうと想像していました」とブラウンは、一九七九年に夫との共著である回顧録に記している。

ゲムツェルの患者や現代の多くの体外受精治療患者とは違い、ブラウンの治療は手術で行われ、排卵を誘発する薬剤の投与はなかった。彼女の担当医のパトリック・ステップトーは治療を「移植」と呼び、処置内容はすごく単純に聞こえたので、ブラウンは「ステップトー先生が正直に、『何年も挑戦しているけれど、誰も移植で赤ちゃんを授かったことがない』と言ったとしても信じなかった」そうだ。実際は何年どころか——科学者のロバート・エドワーズが、マウス、ラット、ハムスター、ヒツジ、ウシ、アカゲザル、ヒトの卵母細胞で研究と実験を始めてから二十年以上経っており、ステップトーと共同でボランティア患者の卵母細胞の研究を始めてから、ほぼ

6 異常プリオン蛋白が脳に沈着し、脳神経細胞の機能に障がいが起きる病気。感染で発症する場合と、百万人に一人の割合で遺伝的な原因または突発的に発症をする場合がある。

十年が経っていた。一九七七年に歴史的偉業をそれとは知らずに成し遂げた際、ブラウンは二十九歳だった。卵管閉塞で不妊になり妊娠できない体を悲嘆していた彼女は、ステップトーとエドワーズの挑戦にぴったりの人物だったのだ。

二人の博士は、ゴナドトロピンを一定期間不妊症患者に投与し、卵巣を穏やかに刺激して複数の卵胞の発育を促進した。ステップトーは、婦人科診療を通して生み出した繊細な腹腔鏡手術の手技を用いて卵母細胞を採取した。エドワーズは成熟した卵子を受精させ、様々な方法で培養を行った。その結果生じた胚について、何十年か後に『Nature Medicine』という学術誌に寄稿した記事の中で、「ほとんどの胚が通常の核、同じ大きさの割球、およそ二倍体の染色体を持ち、厳密な予定表に沿って発育し、細胞同士が見事に密着結合し、胞胚腔液が分泌され、そして五日目には、百個以上の核と多くの有糸分裂が認められる明らかに活き活きとした胚盤胞となりました。一部の胚盤胞は九日目まで発達し、拡張する胚細胞には胚性幹細胞が詰まっていたのです！」とエドワーズは息を弾ませるくらい嬉しそうに描写している。しかし、一九七二年に胚を母体に戻す作業を始めると、ステップトーとエドワーズは患者のホルモン治療に関する問題に気づいた。成熟した卵子を受精させ、美しい胚に発達するのを見届け、適切なタイミングで体内に戻すことはできたものの、その後女性の子宮内で起きることはコントロールできなかった。

「若いカップルすら二十％の胚しか着床しない生殖機能には、何か根本的に欠陥があるに違いない」と、晩年にエドワーズ博士は訴えていた。一九七〇年代には当然低かった人工的な着床率は、臨床試験でステップトーの患者に投与された排卵誘発剤にさらに影響を受けていた。この薬は子宮内膜を薄くしたり黄体期を短くさせたりするため、患者によっては排卵の五日や六日後に月経が来てしまった。妊娠した患者は一人もいなかった。ステップトーとエドワーズは、［精液の液体の部分である］精漿《せいしょう》を卵管に注入して卵子の採取を試みるなど、異なる薬と技術も実験をしたものの、最終的には、体外受精治療をまっとうな不妊治療法として確立するのに最も適した方法は自然周期だという結論をだした。

ブラウンの体は健康な卵子を生成していたのでホルモン治療を必要としなかった。問題は体の構造にあった。卵管が閉塞していたため、彼女の夫の精子が卵子と出会うことはなかったのだ。なので、一九七七年の秋、ステップトーはブラウンを［イギリス北部の町］オールダムの病院に入院させ、腹腔鏡手術で卵巣から正常に生成された卵子を採卵し、エドワーズに託した。エドワーズは、研究室でブラウンの卵子を夫の精子と受精させ、二日後に彼女の子宮に完璧な八細胞期胚を戻した。

九か月後、彼女は元気な女の子を産み、世界中の不妊カップルに希望を与えた。そしてまた、普通とは違う娘の生まれ方は、ブラウンの健康や、娘の健康に対する長年の疑念や恐れを残した。

レスリー・ブラウンは下垂体を抑制する薬や病気で汚染されたゴナドトロピンを投与されたことはなかったし、健やかな妊娠を経て通常の帝王切開で出産している。それでも二〇一二年に（胆のう炎をこじらせ）亡くなった後にも、彼女は好奇心と憶測の的になっている。彼女の名前をGoogleで検索すると、予測変換候補の最初の方に「レスリー・ブラウン　死因」と出てくる。

YouTubeで、「フォリスチム　注射」「リュープリン　注射」などと検索すると、何百件の動画が検索結果に出てくる。そのほとんどが、不妊治療中の女性によって撮られたものだ。私のような、自己注射を一度もしたことがない新しい患者には役立つし、一部の動画は何千回も再生されている。注射は、キッチンや居間やダイニングやお風呂場の鏡の前で行われ、女性が自分で注射する場合もあればパートナーが注射する場合もある。体外受精治療を始める前、注射のやり方を学ぶためではなく、気泡を抜くために注射器を指ではじき、お腹を消毒し、正しい角度で針を向ける彼女たちに親近感を持ちたくて、こうした動画を何十本も観た。私が観た動画の背景には、テーブルに置かれた郵便物の束とか、つけっぱなしになったテレビとか、窓に向かって伸びた観葉植物とか、どこにでもある日常生活の乱雑なしるしがあった。それでも、各手順をゆっくりと説明する彼女たちの声には、一つの形式があった。**ここに、必要なものをすべて揃えました……**

こうやって、薬剤容器の上の方を消毒綿で拭きます……では次に皮膚を消毒します……それではいきます、いち、に、さん。カメラを持っている、姿の見えないパートナーのコメントが聞こえることもあった。**ほんとに勇気あるね。ほんとによく頑張ってるよ。**投稿者たちが何か大切なものを記録しているのを感じとった——費用のことでも痛みのことでもなく、自分たちの賭け、念願、そして断固たる決意を。

　リチャードが、毎晩六時から七時の間に私に注射をした。注射の準備に——薬剤を計り、混ぜて、溶解液を注射器の中に注入し、指ではじき気泡を抜くのだ——二十分ほどかかり、その間キッチンテーブルは、紙やら箱やら薬瓶やらシリンジやらで雑然としていた。彼はクリニックから渡された説明書を毎回広げ、ネットの解説動画を見て、何度も薬剤の量を確認してから「いい？　いくよ」と言った。井戸掘りのときみたいに、未知で怖いと感じるこの体験も、行き過ぎていて、従わざるを得ない感じがしたけれど、引き返すには遅すぎた。

　アルコールで私の腹部を彼が消毒するや否や、私は顔を背けダークチョコレートの欠片をかじった。このコツは、やはりこうした形での妊娠を想像していなかった女友達に教えてもらった。注射自体は長くかからなかった。皮膚に針が刺さり、ちくっと痛み、それで終わりだった。毎回の注射で、すぐに消えるピンクの痕がつき、時々小さな薄い痣もできた。注射が終わると、皮膚の下で何が起きているかはまだ早すぎてわからないのに、明るい光の下で刺したところを探した。

　体外受精治療が大変なのは、体を乗っ取られるからだけでなくスケジュールや生活を乗っ取られるからだ。隔日で朝の診察予約をとり、採血の結果の電話を待ち、注射を打つ時間を正確に計り、追加で薬剤を発注したり、治療周期を終えた女性に薬剤を安くか無料で譲ってもらったり、これをすべてをこなすには時間がかかるのだ。リチャードは、診察に毎回同行してくれて注射も毎回打ってくれたけれど、もし仕事で緊急事態があれば彼が立ち去れるのを、私は知っていた。不妊は私たち二人の問題だったけれど、治療を受けるのは私の体で、毎回診察に行き注射されるのは私の体だった。私の健康保険証を出した。私が薬を発注し、薬局とやり取りをし、エクササイズの習慣も変えた。もし妊娠してもこの不均衡はやはり存在するし、新生児を母乳で育てる場合さらに顕著になるだろうと、私はぼんやり気づいていた。

　私の体やスケジュール以上に、私の心が乗っ取られた。いつだって、するかもしれない妊娠のことを考えていたし、験担ぎできるチャンスを探していた。11:11を目撃できるように時計を見たり、幸運のクローバーを見つけるまで歩いたり、神様を信じていないのに祈ったりした。いつも切望と心配をしていて、心が安まることはなかった。今回がうまく行かなくても、新しい胚を使った三回と、他の周期で残った胚がある場合凍結保存した胚で三回と、多くてもあと六回チャンスは残っていた。もし全部うまく行かなかったら――そのときはどうなるんだろう？
そのときのことは考えないようにした。

治療を経ても不本意ながら子どもがいないという状態のもたらす影響について分析した研究はほとんどないものの、一部の心理学者は、無数に治療の選択肢があることが女性にやめどきを判断しづらくさせていると示唆している。クロミッドが効かなければ、自分の卵巣にはフェマーラ［いずれも排卵誘発剤］の方が合っているのかも。もしかしたら、ゴナドトロピン注射とかエストロゲンの貼り薬が必要なのかも。体外受精治療でも一つの方法がだめなら他も試して、それもだめなら卵子提供や代理母に挑戦もできる。どんどん高額になっていく費用を払えるのならばの話だけれど。また、クリニック選びという点もある。ローリーに住む女性は四つのクリニックの医師から話を聞けるかもしれないけれど、ニューヨーカーなら一ダース以上の医師に相談できるだろう。
選択肢があることは、幸福度を下げると知られている。必要な情報を集めて様々な選択肢の中から決めるのは、時に身がすくむくらい不安になるものだし、決断した後にも色々言ったり後悔したりしがちだ。生殖医療は選択肢の矛盾にさらにねじれを与える。治療中に患者は希望を感じ、わくわくすると言うけれど、治療周期はそれぞれ数週間単位だ。最も高度で高額な治療でも、成功率は低い。三十五歳の女性が一度の体外受精治療で妊娠する確率は、平均でも三十一％だ。もしうまく行かない場合には、女性は決断を迫られる。もう一度挑むか？　別の治療を試すか？　選択肢が豊富にあることで、選択を間違えたのでは、正しい選択をするのが遅すぎたのではと恐れ、女性は自分を責めがちだ。私も、ピアサポートグループの女性たちが「次の周期でやめにする」と言い切るのを聞いたことがある。でも、うまくいかないまま治療を終えた女性たちを対象とした調査は逆の結果を示唆している。血の繋がった子を望む気持ちは、治療後ためらいながら消えていったり賢明に受け入れる気持ちへと深まったりもせず、むしろ強まるのだ。

世界中から注目と称賛を集めたにもかかわらず、ステップトーとエドワーズがケンブリッジにあるジェイムズ一世の頃の修復された屋敷に、ボーンホールという世界で二番目の体外受精治療クリニックを開設するまでに、ルイーズ・ブラウンの誕生から二年半かかった。レスリー・ブラウンとは違い、ステップトーとエドワーズは自分たちが行ってきたことは注目に値するものだと認識していたので、今後も継続する革新的な研究のために堂々たる拠点を求めたのだった。

特にエドワーズは、クリニックに関して素晴らしい展望を持っていた。「体外受精治療は、必要な医療、科学、相談、看護、カウンセリング支援などのサービスを提供し、ステップトーの治療を待つ多数の患者さんに対応できる病棟や食堂施設を備えたセンターで、大規模に行う必要がありました」と語る。エドワーズは、クリニックは世界初ではないものの、世界で最も美しいと豪語した。重厚なレンガ造りの外壁に銃眼付きの小塔、jour de ma vie（私の人生の一日）という理念が彫り刻まれているボーンホールは今日《こんにち》も運営が続けられ、その外観は病院というよりも富裕層向けの寄宿学校か大学のようだ。ジョンとレスリー・ブラウン夫妻は、ステップトーの初診費用をサッカー賭博で当てた賞金で払っており、オールダムのクリニックの地味な待合室にいる、毛皮のコートを着た上品《ポッシュ》な患者たちに気後れしたという。二人は、ボーンホールのことをどう思ったのだろう。

　味気ないレンガ作りの建物の三階に、新しく移転したばかりの私たちのクリニックは、心地良さそうに見える（だけで実際は違う）家具と、イチョウの葉と竹の絵柄があしらわれた壁紙と、柔らかい光のダウンライトがつけられていて、出張で使うホテルみたいだった。カプセル式のコーヒーメーカーがＣＮＮがかかっているテレビの下に設置されていて、かごの中には無料の手指消毒ジェルが置かれていた。壁にかけられたプレートには、サステイナブルな床材や揮発性有機化合物の含有率が低い塗料を使った、環境に配慮した診療所であると書かれていた。患者をデスクに呼び、書類への署名と保険証の提示を（念のため）求める受付担当者の声は低く、控えめだった。

前のクリニックでは、謎のしみがついた椅子で待たされていたし、葉が落ちるイチジクの木々では、他の場所から全然目隠しできていなかった。鬱々として人目についたけれど、我慢できないわけではなかった。まるで、健康に問題があり病院に来ているという感じがしたし、実際そうだった。新しい場所のお金持ちっぽい寛いだ雰囲気は、私の精神状態を反映してもいなかったし変えることもなかった。むしろあの待合室にいるときほど、自分が傷つきやすいとか焦っていると感じたことはなかった。クリニックは高所得者の住むローリー郊外にあった——より多くの患者がいる地域に近接することがクリニック移転のもう一つの動機だった——けれど、私が見かけた他の患者は、救急センターの待合室や空港のターミナルにごく普通にいるような見た目だった。これから会社に戻るような服装をした人はいなかった。皆疲れて見えた。アイスホッケーのシャツを着ている男性や、エアロポステール[7]のスウェットを着ている女性がいたのを覚えている。私たちは、見た目は座り心地がよさそうな椅子の端に座り、名前が呼ばれるのを待った。

子どもの頃、私は病気や治療に憧れていた。自分はめったに病気にならなかったものの、弟は重度の喘息もちで、数年ほど病院通いや入退院を繰り返していた。薬や注射や吸入療法に観念して耐える弟の姿は、勇ましく見えた。弟は絶対に泣かなかったし、めったに文句も言わなかった一方で、私はワクチン注射の後に腕を吊る包帯を頼んだことがあった。弟がアレルギー検査を受けたときに、痩せた皮膚の薄い背中にプリック針を刺し何十も痕が残った際には、（プリック針自体とまではいかなくても）その痕をうらやましがったことを覚えている。

私が通う不妊治療クリニックの看護師たちは優しかったのに、私の静脈は細いか横にずれるかしていて、そうでなければ血圧が低すぎた。私のお気に入りのキムは、心拍数を上げようと私が腕を振るのに調子を合わせてくれたけれど、それでもちゃんと刺せるまで何回かかかっていた。キムは、卵胞で分泌されるエストロゲンの指標となるエストラジオールを測定していた。投薬していない周期で、女性は通常一個の成熟した卵胞から二百〜三百pg／mL（ピコグラムパーミリリットル）のエストラジオールを産生する。私は、日々の注射によって過排卵状態になっていたので、排卵を起こす前にエストラジオールの数値が二千を超えるのを待っていた。

午後、私はキムの電話を待ち、そこで結果と投薬量の調整が必要かどうかを教えられた。卵巣を腫らせていた卵胞刺激ホルモンで卵胞を成熟させ、それを医師が太い針で吸引できるように、ｈＣＧの注射を行い排卵のタイミングを決定する、という具合に私の月経周期の何もかもが人工

7 米国のカジュアルファッションブランド。

的で、管理されていた。卵子と精子の出会いすら医師の落ち着いた手で援助される。胚培養士が「一番動きが早くて強い、最高のスイマー」を選び、それを一つずつ、各卵母細胞に注入するのだ。

診察室で、医師が経腟超音波検査用のプローブにコンドームをかぶせている間、私はノートの新しいページを開き、内診台の上で仰向けに横たわった。ピアサポートグループのある女性は、このプローブに船長さんと名づけたそうだ。船長さんの命令には従わなければいけないからだ。かたや私は、出身州のバージニアで最近起きた、中絶を巡る争いのことだけを考えていた。人工中絶反対論者たちが中絶を望むすべての女性に対し、中絶手術を受ける前に最低一度の経腟超音波検査の受診を義務付けることを求めたのだ。間違いなくこの超音波検査は不要だし、多くの女性にとってとてつもなく高額だし、おそろしく侵略的なものだ。これに反対する人々は、この検査は苦痛で、州が出資するレイプと言ってもいいくらいだと言った。私は足置きに足を載せ仰向けになる。私にとっては、超音波検査を受けることよりも、自分の状況と中絶を希望する誰かの状況の距離について考えることの方が、もっと居心地が悪かった。これを認めるのは裏切りっぽい感じがするけれど、痛いと感じることはめったになかった。ただ、私はこのときまでに十数回以上は検査を受けていたはずだ。妊娠中絶する前に経腟検査をされるのがどういう気持ちなのか、想像することはできなかった。想像しようともしなかった。

「では触れますからね」看護師全員と一部の医師は触る前にそう声がけをする。「少し圧がかかりますよ」と超音波検査のプローブを左右に動かす際に伝えてくれる。自分に触れるものすべてが、看護師や医師のように優しく敬意を感じられたけれど、それでもやはり象徴的でもしかしたら間違った意味をもち、重かった。プローブはコントロールと力の象徴だった。すっかり横たわり、足置きに足を載せた私の様子は、服従を絵に描いたようだった。超音波装置上の白黒の画像を見つめている間、リチャードと私は希望に満ちた未来の親だった。自分の子宮内膜の厚みが六㎜であることと、右の卵巣内の六個の卵胞のだいたいの大きさが十一から十二・五㎜、左の卵巣の四個の卵胞は十から十二・七㎜であることをメモした。実際のところ数値は私にはあまり意味をなさなかったけれど、目がかすむまでネットの掲示板をくまなく見ていたので、その数値が安心できるものだとわかっていた。

　数日後、キムが最後のエストラジオールの数値測定のために採血をしたときには、私の静脈には傷跡ができていた。これすらも、生殖補助医療の道に進み始める際に恐れていた、依存のメタファーのようだった。あともう一周期だけ、あともう一つだけ治療法を試して、とお金と気持ちが底をつくまで続くのだ。私はすでにネットの掲示板に依存していたし、Momtastic.comの生殖補助医療のページで、［ハンドルネームが］**ラインズマンの妻**とか**不安です**とか**希望はすてないぞ**とか

ママリとか、体外受精を受けている世界中の女性のコメントを毎朝読んでいた。「三度目の正直となりますように」と書いていたのは、**アフリカの女王**という、三十一歳のリバプール在住のスレッド主だった。彼女とナイジェリア出身の夫は、イギリスの体外受精治療の公的補助金を不成功に終わった二度の治療周期で使い切っており、家族から借りたお金――彼女の父親の貯金だと言っていた――に頼り、最後の治療費に充てるそうだ。彼女はMomstaticのフォーラムに六千件以上の投稿をしており、直近の結果が残念なものだったにもかかわらず、常に明るく人を励ましていた。「**ちいさな足がちょこちょこ動くのを、いつでも観る準備はできてるっていう人、他にいませんか～？　ＰＭＡとＢＦＰのニュースでいっぱいのスレッドにしていきます**」。私はＰＭＡが何かを知らなくて調べたところ、ポジティブな考え方（positive mental attitude）を意味していた。でも、ほぼ毎日エストラジオールの数値（高すぎる？　低すぎる？）や、卵胞の数や大きさ、子宮内膜の厚みを知らされる、平均的な生殖補助医療での一喜一憂を思うと、なかなか難しそうな精神状態だった。良い知らせか悪い知らせかも専門的過ぎて他の体外受精を受けた人の力を借りないと理解できなかった。アフリカの女王が作ったような「ラッキースレッド」は、女性たちが最も傷つきやすくて孤独を感じるときでも、女友達や母親、姉妹とは感じることのできない繋がりを感じさせてくれる。昼休みや空き時間に、慰めあったり相談しあったり励ましあったりできるのだ。着床の成功を互いに祈り、大きくて健康な卵胞《フォリー》と強くて美しい胎芽《エンビー》を願った。皆の投稿には、ハグをする笑顔のマークや、踊る笑顔、泣き顔、ピンクの二本線が点滅する妊娠検査薬などの動く絵文字がちりばめられていた。私はこっそり見ているだけで投稿をしたことはなかったし、ハンドルネームもプロフィール画像も持っていなかったけれど、みんなの幸運を同じだけ祈った。

　予定されていた最後の超音波検査の朝、エストラジオールの数値は二千二百四十八pg／mLで、ピアサポートグループでは診察時の態度が素っ気ないと知られている一、二回しか会ったことのない医師が、十個の卵胞を数えた。これは、掲示板にいる女性のほとんどには勝利を意味するものの、足りないのではと私は心配した。医師である彼女は、状況は「良さそうですね」と言ったけれど、詳しくは話さなかった。私たちは、採卵に向けて卵子を成熟させるhCG注射の測り方が詳細に書かれた説明書を渡された。「ちゃんと聞いてくださいよ」と、まるで私たちが白昼夢を見ているみたいに、医師は紙を指でとんとんと叩きながら言った。

　二日後の朝、採卵当日は雨が降っていて寒かった。スタッフへの差し入れのクッキーと共に七時四十五分に着き、クリニックの中の今まで見たことのない部屋に通された。そこは安心するほど医療機関らしい見た目で、ホテルというより、病院で手術前に通されるエリアのようだった。

着替えのガウンを渡され、レノラという名前の看護師が私に点滴をつけた。静脈を見つけるのに三回やり直しをされ、探している間私は顔を背け、文句は言わなかった。

数分後、ガウンの後ろを手で抑えながら点滴スタンドを転がし、採卵室へ向かった。何年も脅えていた心象風景のようだった。長い廊下があり、そこにある扉はすべて閉じられていて、突き当たりには体外受精治療がある。でも私は一人ではなかったし、決まり切った作業とか単調だとか、冷たいとは感じなかった。キムが処置台にあがるのを手伝ってくれた。ヤング先生もその場にいたし、私たちが最初に体外受精治療を真剣に検討した際に話を聞きに行った、感情表現豊かなブラジル人の胚培養士であるラモス博士も、その朝颯爽と手を振って挨拶してくれた。リチャードは、私が自分の服に着替えるのを手伝い帰り道の運転をするために、すぐ隣の部屋で待っていた。私は横になり、カウントダウンをし、眠った。

翌朝、胚培養士のミシェルから、採卵した十三個の卵子のうち十一個は成熟しており、十個が受精したという電話があった。培養の三日目に胚の様子を確認し、その時点で胚移植をするか、五日目まで待つか決められるとのことだった。

ノートにメモすると、川沿いに散歩しに行って四つ葉のクローバーをいくつか見つけた。ハクトウワシが、地役権のある区域の向かいの、巣の近くに生えている大きな松の木にとまっていた。こういうことも私はメモに残し、クローバーの葉を一つノートに挟んだ。

Momstaticのラッキースレッドでは、**メル54**がPUPO［pregnant until proven otherwise（判定が出るまでは妊娠中）の頭文字］だった。移植後の女性が希望を込めて使う言葉だ。**物知りアシュ**は二十五個も成熟した卵子ができていた。妊娠中の**まじめな豆粒**は、卵子は三個だけだった。いずれにしても、一個あれば妊娠し得るというのが、おおむね共通した見解だった。パイナップルの芯を食べると着床しやすくなるのか？　食べ過ぎると子宮が収縮するのか？　妊娠している**LPEAR**はブラジルナッツをすすめていた。次の治療の資金繰りでいまだ苦労している**アフリカの女王**は、彼女にしては珍しく「めちゃくちゃ落ち込んで」いて、父親と動物園に行き、赤ちゃんゾウや赤ちゃんミーアキャットや赤ちゃんアリクイを見たと書き込んでいた。**サンシャイン24**は「今日は仕事が超忙しくてストレス溜まったし、人員削減されまくってて数か月後には職を失うかもしれないのに、今の私は集中できないし、それどころじゃないよ。もっと大変なことがあるんだよ～！」と書いていた。アフリカの女王は前回の治療周期のときに、もしシークレットサンタ[8]の郵

8　欧米のクリスマスプレゼントの交換スタイルの一つ。くじでプレゼントする相手を決めるので、もらう人は誰からの贈り物かわからない。

便版のような「シークレットシスターチェーン」を企画したらどう思うかと投げかけていた。「ちょっとした楽しい遊びで励まし合うだけだから、値が張るものは送らなくていいよ。相手がくすりと笑ってしまうようなものなら何でもいいから」と書いていた。「前は、赤ちゃんグッズとかメッセージカード、お菓子や記念品とか、治療の間励ましになるようなものは何でも送りあってたんだ」

レスリー・ブラウンは、治療の特筆すべき性質を知らないまま治療を始めており、手順について調べることもできなかったし、ピアサポートグループの他の女性に相談することや、秘密の女性グループに参加することもできなかった。他にも数百人の女性たちが秘密裏にステップトーによって移植された赤ちゃんを産んでいるのだと想像していたものの、不妊は、彼女の想像の中で自分を異常な存在にするものだった。**結婚して何年ですか？**彼女が働いていたチーズ工場に新しく入った人にそう聞かれた。その後にはいつも**お子さんは何人？**と聞かれるのだ。卵管閉塞について初めからもう一度説明しなくて済むように、ブラウンはもっと給料の良い仕事につく機会を見送ってすらいた。

だから、採卵、移植そして妊娠判定を待つ間、別のステップトーの患者と同室に入院したのは、ブラウンにとって思いがけない体験だった。「長いこと、自分は子どもを産めない唯一の存在なのだと思っていたからこそ、自分と同じ境遇にいる方にお会いできたのは素晴らしいことでした」と記している。二人の女性は、子どもがいないことで孤立してしまうことや、子どもが生まれたらお互いを訪ねることを話しあった。「同い年ですから」とブラウンは言う。「私たちの子どもは友達になれるに決まっていました」

妊娠判定前に同室の患者に月経が来て、ブラウンは再び一人になった。ステップトーの患者たちは病院の産婦人科病棟全体からは隔離されていたし、他の女性とは話す気になれなかった——どのみち、出産したり叫んだりうめいたり忙しそうな女性もいた。夫のジョンが小型テレビを持ってきたものの、滅多に観ることはなかった。「自分の体の中で起きていること以外には、まったく集中できなかった」と言っている。

だから食事も一人でとり、毎日ステップトー博士を訪ね、祈った。

リチャードと私はヤング先生と、採卵の二日後に電話会議をした。私の年齢だと、一般的な移植する胚の数は二個だけれど、私の場合は三個も可能だとヤング先生は言った。私たちは一個の胚の移植を希望する旨を伝えた。これは当時私たちの通うクリニックで、同じ年齢層の患者の三%しか選ばない選択だった。私たちは双子のリスクを避けたかったのだ——双子用の車のチャイルドシートとかベビーカーとか二倍の大学の進学費用ではなく、私の体へのリスクと胎児たちへのリスクを避けるためだった。

採卵後五日目まで培養を続けることで、どの胚が一番「有能」で、正常に発育するかもっとはっきりわかるはず。すべての胚が五日目まで残るわけではない。完璧に分割し、四日目には丸い桑実胚になり、五日目に複雑な胚盤胞へと育つ胚もある。一方、どういうわけかショートしてしまい、不均等に分割したり、まったく分割しなくなったりする胚もある。待つことで一番良い卵子を選ぶことができると、私はヤング先生に主張した。その先生には、子宮が——ここ数週間かけて乗っ取った私の生殖器官の一つだ——実際は胚にとって最も適した場所で、だからこそ私の年齢のほとんどの女性が三日目に胚を二個移植するのだと反論された。**自然な環境**と、先生は言ったと思う。リチャードは赤ペンでノートにメモをしていたけれども、その部分は書き留めなかった。

ヤング先生は、こう提案した。移植したい数の三倍の胚が（私たちにとっては三個の有能な胚を意味した）三日目に正常に発育していたら、待っても良いとのことだった。

次は、三日目にミシェルが電話をくれた際にメモしたものだ。

胚の総数　十個
八細胞期胚　七個
九細胞期胚　一個
十一細胞期胚　一個
五細胞期胚　一個
良好　四個
おおむね良好　四個
大きめの割球が一つあるけれど許容範囲　一個
五細胞のもの（六日目に胚盤胞になるかも）一個

どの胚が移植されることになるのだろう。写真が見られたら良いのに、と思った。自分の体よりもすっかり信用するようになった培養室の中で発育を全部やってくれたらいいのに。

「自分の体が、機能すべき形で機能しないっていう事実には何だかとてもひどいものがあります」マーニ・ロスナーの、望まないのに子どもがいない女性への調査で、ある女性はそう打ち明けている。「体に見捨てられたみたいな感覚があって、あまり健やかなことではないので、そればかりを考えないようにしています。ただ、感じるのは……一部の付き合いの場では、自分に何も信用がないような気持ちになるんです」

ＡＲＴ患者はしばしば体を疑わしいものと見なし、薬や手術を、体を支援するものというより体の代わりと捉えることがある。医師も調子よく、私たちを妊娠させられるとか周期を乗っ取るなどと言い、こうした患者の考え方を助長する。レスリー・ブラウンは自身の不妊がわかってから、夫からの性的な誘いを「『普通』の女性を見つけて」と言い何年も拒絶しており、ステップトーによる採卵を待つ間も自分の卵巣を責めた。病棟にいた他の二人の女性はすでに手術を受けていたため、自分は機会を逃したのではないかと心配したそうだ。「ですが、私の体のせいにすぎなかったとわかったのです」と彼女は書いている。「他の方たちよりも、私の排卵のタイミングが遅かったのです」

私たちの体は奇跡というのは、思春期を迎える子どもと出産に備える女性という二種類の人々によく贈られるメッセージだ。これから何年にもわたり体の不自由さ（毎月の出血や、夢精や、思いがけない勃起など）を経験する子どもたちや、長時間に渡る苦しみに対峙する女性に嘘をつくのは理に適っているけれど、進化生物学は、人間の体は私たちが主張するように奇跡ではなく、応急処置の妥協案でできていることを示唆している。すべての生物の生理機能と同じように、人間の生理機能は完璧を目指すのではなく、個体が生き延び遺伝子を残すのに十分な程度に進化した。「人間も他の種も、環境に完璧に適応してきたわけではありません」と進化生物学者のマーリーン・ズックが『私たちは今でも進化しているのか？』という、私たちがいかに自然や進化を美化しているか述べた自著の中で書いている。「私たちの適応はどちらかというと、かみ合った歯も外れた歯もある壊れたファスナーのようなものです」。人間の魚のような脊椎の構造は、しゃっくりやヘルニアになりやすいし、助けを受けずに出産した場合、赤ん坊の脳が大きいため死亡率は高くなる。毎月分配される卵子そして精子など、発育にエネルギーを要するものを色々捨て、なおかつ生殖能力がなくなったあとも生きる（ことを望む）。どちらかというと不要な臓器である虫垂があるし、それだっていつ破裂して命に危険をおよぼすかわからない。

　生殖医療が発展を遂げる以前は、不妊の女性は自分の遺伝子を残せるなど考えられなかった。体は不完全なだけでなく、進化という指標においても不十分なものだった。エドワーズとステップトーは、彼らの研究により不妊が治癒するわけではないため頻繁に批判された。患者は体外受精治療を受けた後も、出産をしてもしなくても、やはり不妊であったからだ。ノーベル医学生理学賞を二〇一〇年に受賞したエドワーズは、そうした批判をこう上手に払いのけた。じゃあ眼鏡は、義歯は、心臓移植はどうなるんです？

私たちは、自分の体を理想化するあまり、体を責めてしまう。**奇跡**というメタファーを当てはめるけれど、それは適してはいない。体外受精治療で初めて生まれた子であるルイーズ・ブラウンも、奇跡と呼ばれたのと同じだけ、変わり種とか試験管ベビーとか倫理観崩壊の第一歩とか呼ばれた。世界中から、応援する人たちがルイーズにメッセージカードやプレゼントを贈ってきた一方で、ブリストルの近所の住民たちはよく、興味津々にベビーカーを覗きこんできた、と彼女の母親は振り返っている。まるで、ルイーズがガラスでできているのを期待するみたいに。

『Our Miracle Called Louise: A Parents' Story（ルイーズという名の奇跡　両親の物語　日本未出版）』は、レスリーとジョン・ブラウン夫妻の回想録の題名だ。それぞれの言い分を、章ごとに代わる代わる率直な話し言葉で書き記し、愛はあっても障害の多かった二人の関係が、本の大部分にわたり書かれている。本は、ジョンが十六歳のレスリーにブリストルのカフェで出会い、「なんて美人なんだ」とほれぼれと言ったところから始まる。読んでいて、体外受精の部分——奇跡の部分——にたどり着くまで少しじれったく感じたし、カフェでのデートとか鉄道車で眠ったことに比べて、該当部分の詳細が抜けていてがっかりした。でも二人にとっては、これがルイーズの親になるまでの話なのだ——病院の待合室で始まったのではなく、私たちがパートナーと結ばれるときのような、偶然の出来事が素晴らしく重なりあった物語なのだ。

「ルイーズが特別なのは、普通の方法では絶対に生まれなかったからです」本の終わりの方でレスリーはそう書いている。「彼女を産む機会が私に与えられたことが奇跡でした」

もしジョンとレスリー・ブラウン夫妻が自分たちが体験した出産と伝統的な出産を選べたとしても、ただ一人のルイーズに出会うためなら、待つことや経済的な苦労やゴシップ誌の騒ぎなどの娘を迎える過程で味わった奮闘すべてを喜んで繰り返したのではないか、と私は想像している。体外受精からの代理母出産を経て息子が生まれた後、アンドリュー・ソロモン[9]は、自著『「ちがい」がある子とその親の物語（Far from the Tree）』でインタビューをした何百人の親たちに対してより深いつながりを感じるようになり、子育てをすることで、偶然よりも運命を強調する主観的な考えの方が客観的な真実よりも現実味を増した、と見解を述べている。ソロモン曰く、子どもは「授かるべくして授かった子どもで、他の子どもではあり得なかった。偶然にはまったく見えないし、運命だからこそ子どもたちを愛する」そうだ。

「大切なのは、ルイーズが生まれたということ」三十五年前に、ジョン・ブラウンがソロモンほ

9 米国人作家。言及の著書は映画『いろとりどりの親子』の原作となった。

ど雄弁ではないものの同じ確信をもって書いている。「今となっては、私はルイーズなしではいられません」

胚移植当日、ヤング先生は選んだ胚盤胞の写真を持ってきてくれた。胚培養士は、今年見た中で「一番きれいな子」だと教えてくれた。こうして画像（複数の胚を移植する女性には複数枚）を渡されるのは、ＡＲＴの儀式の一部なのだ。この段階まで来ると、この画像は乗っ取りで成し遂げたことの証明であり、冷蔵庫に貼られたりFacebookに投稿されたりしている胎児のエコー写真に一番近い存在だ。印刷された細胞の集まりを見て、どう感じたかは確かではない。がっかり？　複雑？　**母性**？　でも、私は胚培養士の言葉にすがった。写真を見る前に、ノートに胚培養士の言葉をメモした。

ネットでも医学誌でもラモス博士のオフィスでも、この手の画像は十分見ていたので、これが良い感じの形の胚だというのはわかった。灰色がかった白黒写真は、中央にたくさん細胞があり、ほとんどの部分が空洞になっていて、すでに宇宙空間に浮かぶ複雑な惑星さながらだった。ここから、すべての内部細胞塊が心臓、脳、肺などあらゆる器官に変わっていく。胚は孵化しようとしていて、着床に備えて、透明帯とよばれる滑らかな殻から細胞が外に出るところだった。画像の下部には、胚培養士が私の名字と日付を書きこんでいた。

　クリニックによっては、通常の手順として胚移植の間鎮静剤を打ってくれて、希望すると穏やかな音楽をかけてくれる。定説では、こうすることでリラックスし、体も胚を受け入れる準備がしやすくなるのだそうだ。待合室のコーヒーやお茶を淹れるスペースのような、ただの気配りのように見えるけれど、実際には必要とされることが多い。中には体外受精治療が三回目、四回目、六回目の女性もいる。時には、着床の可能性がとても低い胚を移植する場合もある。流産や掻爬手術、辛い子宮外妊娠を経験した女性たちもいるので、前に進むためには、クッションのついた足置きや処置室で使われる医療器具が持った色々な意味を、考えから取り払う必要があるのだ。

　リチャードと私は幸運にも、長い待ち時間以外にそうした記憶や辛い体験がなく、乗っ取りは予想していたよりも上手く行った。数日前には採卵をした移植室に入る際、私は薬も音楽も必要としなかった。この初めての経験を、これっきりであることを願いつつ、和らげることなく体験したかったのだ。

　機械のかすかな振動音が聞こえるくらい静かで、ヤング先生が私の名を読み上げる声は、変に形式張った感じがした。状況を考えると、奇妙なまでにローテクの予防措置のように思えた。先生が子宮頸部に細いカテーテルを通す間、私はできる限りじっとしていた。キムは私の隣に立ち、先生がちょうど良い置き場所を見つけられるように、超音波プローブを私の腹部にあてた。装置の画面が閃光を放った。

「あなたの胚は」と先生は言った。「ここですね！」

リチャードと私は手を握り合った。この体験の何もかもが、私たちが子どもを迎えることを最初に考えたときや、親になるまでの道のりが長くなる可能性を察したときに想像していたこととは、全く違っていた。想像したよりも、もっと居心地が悪くて、お金もかかったしプライバシーもあまりなかった——処置室には私たち以外に三人いたし、体外受精が上手く行ったかどうか、二週間を待たずに結果を聞きたがっている家族や友人もいた。

それから先生と看護師と胚培養士は部屋を出て行き、私たち二人きりになった。出会うことのなかったかもしれない二人が、苦労して、この胚を作ったのだ。壁にかかった時計の針の音が響いていたけれど、誰も私たちを急かさないだろうとわかっていた。普段は、診察室で私が内診台に足を載せていてもお互いよくしゃべるのに、やり遂げたことの重大さを考えると、照れ臭くなり黙り込んだ。九か月後に子どもが生まれるかもしれないし、また決断をすることになるかもしれない。ひとまずは、もう一度待った。

Birth Stories

第10章 生まれてくるまでの話

トッド・ジェンセンは、二〇一二年五月の暖かい夜、ゲイブ・フェイビッシュにプロポーズをした。二人はチャペルヒルにある、ランタンというロマンチックなアジアの多国籍料理レストランにいた。豆苗からポークチョップまですべて地元産で、照明は薄暗くて浮き浮きするタイプの店だ。二人は夕食を取るため、最近リノベーションをした自宅から歩いて向かった。その夜はめでたい日だったにもかかわらず――二人が初めてデートしてから九年目だった――ゲイブは結婚を申し込まれるとは思ってもいなかった。「その週を乗り切ろうとしてるだけだと思ってましたね」と、少し残念そうにゲイブは振り返り、「ちょうど、二人がまた『盛り上がっている』時期だったんですよ」と言う。作家兼俳優で、登場人物や動機を熟考することに慣れているゲイブは、**今は無理だけど、いいよ**と答えた。自信家の公衆衛生学の研究者兼教授のトッドは、**断られたのだ**と受け取った。二人は、沈んだ切ない気持ちで家まで歩いて戻ると、飼っているラブラドールの散歩をして床に就いた。

ゲイブにとって、結婚の好ましさや、その制度のもとで幸せに暮らし得るという考えは、比較的新しいものだった。三十代前半で大学院に入るまでカミングアウトをしていなかったし、それまでは一人の女性と真面目に愛のある関係を何年も持ちながら、自分のセクシュアリティについて悩んでいた。ゲイブは長い間——セントラルパークで友人たちとしたピクニックでトッドと出会った後ですら——ゲイだということは、ある種の家族構成は手に入らないことだと考えていた。結婚もしないだろうし、庭があって犬も子どももいる家を持つこともないのだろう、と。

ゲイブはそれから数か月間、主に自分の中で考えをめぐらせ、ついに気持ちを固めた。二人は翌年の六月にブルックリンの——同性婚はノースカロライナ州では法律で禁止されていた——キャロルガーデンにあるお気に入りのレストランの中庭で結婚した。式はユダヤ教式で仏教の要素も少し取り入れたものだった。これから共にする人生を象徴する、グラスの踏み割りをゲイブとトッドが行った後、招待客はLoving Kindnessという仏教の祈りの言葉を詠唱した。ユダヤ教の結婚式で使われる天蓋は、ゲイブの祖父のタリス[1]と、トッドが瞑想で使っている仏教の祈とう用ショールで作られていた。数か月後、二人にとって結婚生活よりもさらに重大な問いである、子どもについて話し合い始めた。

二人は一年以上話し合った。ゲイブは、新しい暮らしがどうなるのか、育児の責任が生活のための仕事や作家生活にどう影響するのか、子育てが二人の関係にどう影響するのか考えた。真剣に己を省みた冬が終わり――その間ゲイブは沢山の本を読み、水泳教室に入り、親になることへの不安や希望について近しい友人と徹底的に話しあった――ゲイブは前向きな決意をした。子どもを育てたい。トッドが隣にいるからこそ決断できたことだった。

「結婚の歴史は、継続と変化の歴史でもある」ゲイブとトッドの結婚から二年後、米国の最高裁判所のアンソニー・ケネディ判事は全米で同性婚を合法化する歴史的な判決となったオーバーグフェル対ホッジス裁判の多数派意見の中で書いている。ルース・ベイダー・ギンズバーグ判事、エレナ・ケイガン判事、スティーブン・ブレイヤー判事、ソニア・ソトマイヨール判事が同意し

1 ユダヤ教徒の男性が礼拝時にかける肩衣。

たケネディの意見は、妻の身分制度の廃止や、見合い結婚の衰退などの変化について言及し、さらに、子どもを持てないか持たない同性カップルや、養子または実子を養育する同性カップルなどの様々な家族の形が増えつつある現実とそれに対する社会的認識が高まっていることを指摘するものだった。「以前とは結婚の見解が変わったというのは、新しい世代が新たな自由の側面を明らかにしていく国ならではのものである」とケネディ判事は書いている。

この判決が下る前に最高裁の裁判を見守っていた多くの人々は、裁判所の判断は、避妊へのアクセスに関する先の裁判で定められた結婚に生殖が伴う必要はないという視点[2]と、拡大しつつある家族の定義にかかってくるだろうと予想した。意見が分かれるのは、自然なことのように私は感じた――結婚のように状況がさまざまで複雑なものに対する権利について、さまざまな推論が存在するのは理解できた。けれど一部の法律学者は、他の方法で法的規制が行われる可能性や、家族を迎えるために生殖補助医療を希望する同性カップルや一部の異性カップルの間に自然な同盟関係が生まれる可能性を見抜いていた。

「同性カップルが結婚の平等な権利を得る中で、同性婚に反対していた人々の中には意見をシフトさせ、結婚の平等な権利は支援しつつも権利の効力の範囲を制限しようとする人もいました」カルフォルニア大学ロサンゼルス校法学部の教授ダグラス・ニジェームは、オーバーグフェル判決に先立ち、［イェール大学の発行する法学雑誌］『Yale Law Journal』に寄稿した評論の中で述べている。「特に、今や同性婚を受け入れながらも、生物学的なジェンダーで役割分担をした育児を支持する人々がいます。言い換えると、そうした人々は、同性カップルを結婚から排除するのは止めたものの、同性カップルの排除を支持するのに最も使われていた主張は捨てていなかったのです」

ニジェームは、結婚の平等が米国の法律で定められても、「新しい対立点は生まれてきている」と、警告する。そして、有名な社会的保守主義者であり Institute for American Values という団体の創設者のデイビッド・ブランケンホーンという、同性婚への考え方を改めた人物を引き合いに出している。ブランケンホーンは、二〇〇八年にカリフォルニア州で同性婚を禁止するために提出された憲法修正案、提案八号を支持するために裁判で証言を行ったものの、同性婚が全米の法律で認められると支持を表明した。一方で、「同性カップルは結婚の有無にかかわらず、どんな状況においても、生物学的、社会的、そして法的な親権を一つの絆にまとめることはできない」

2　一九六五年に行われたグリズウォルド対コネティカット州事件判決を指す。個人のプライバシーの権利が憲法で保証されることを認め、既婚カップルの避妊具の使用を禁じていたコネティカットの州法が最高裁で違憲と判断された。しかし、「結婚に生殖が伴う必要がないのであれば、同性婚賛成派の主張の一つである『子どもを持つ権利』は説得力を欠く」とし、この裁判の判決は同性婚反対派の主張の根拠に使われることもあった。

という主張を続けた。同性カップルによる育児は、生物学的な理由で常に劣ったものになるとブランケンホーンは主張した。同氏の団体は、『My Daddy's Name is Donor（おとうさんの名前はドナー）』という、精子提供によって生まれた若者の研究の資金提供と発表をしており、ドナーの協力によって授かった子どもは他の子どもより苦労し、一部の権利が守られていないという主張の元に、ＡＲＴを禁止する運動をしている。

ニジェームは、家族を持つことは、性的指向の平等を求める運動における「次なる開拓地」だと言う。個人のレベルでは、子どもを持つことを検討しながら生物学的にも法的にも多くの規制や手段に直面しているトッドとゲイブにとって、それは本当だ。

ゲイブと私は、四名からなる同じライティンググループのメンバーだ。一か月に一度、チャペルヒル郊外にある小さなツリーハウスのようなカフェに集まり、大体噂話や個人的な出来事の話から始める。ゲイブが、トッドと親になることを考えていると初めて話してくれたときのことを覚えている。ゲイブが葛藤を打ち明けると、グループの他のメンバーが、行動に移す前に本当に心を決める必要があると忠告していた。優雅で思慮深い女性で、彼女の子どもたちは比較的まだ小さかった――恐ろしいほど自分の意思があるのに、あり得ないくらい手がかかるような年ごろだ——なので彼女はきっと、**え〜、何に足を突っ込もうとしてるかわかってる？**　と思ったに違いない。

でも私は、何年も決意を迷った自分の経験を重ねて、励ましになればと思い翌朝ゲイブにメールをした。その時点で私はすでに娘を生んでいたので、親になることの良さを伝えるちょっとした伝道者になっていた。同時に私は、子どもを迎え、気が散ることと睡眠不足と喜びに満ちた一年か二年の間をよろよろ生き延びるか、自由でロマンチックな子どものいない暮らしを続けて行くか、という葛藤や複雑な未来への考えがあることで、どちらの可能性ともしばらく暮らせることを願った。養子縁組か生殖技術の活用は——ゲイブとトッドが親になれる手段だ——長期間にわたる慎重な計画や待機を意味する。ある程度葛藤や逡巡をすることなく養子縁組やＡＲＴに取り組んだという人を、私は一人も知らない。

「家族というのは徐々に作られていくものです」法律学者であるマーサ・アートマンは、『Love's Promises（日本未出版）』という自著の中で述べている。この本は、特に彼女が「プランＢ」ファミリーと呼ぶ、ＡＲＴや養子縁組、ステップファミリー、同性のふたり親や、ひとり親家庭など、一般的でない形の家庭を作るうえでの契約の持つ力を称賛している。プランＢはアートマン曰く、こうした形の家族が妥協案だとか劣っているという意味ではなく、「侮蔑や見下しを（中略）、いつ、どんな形で、誰と家族を持つか選ぶ方が社会や個人にとって望ましい、という道徳的に中立な主張」に変えることを意図している。アートマン自身の家庭も、ドナー精子による人工授精と契約にもとづく養育が行われている。息子の生物学的な父親は、親しい友人でもあり共同養育者でもある。息子ウォルターの誕生後、アートマンと息子の父親ヴィクターはそれぞれ同性のパートナーと結婚しており、今ではウォルターの生活には二人の継親がいる。『Love's Promises』の中で、「家族が徐々に作られる」というのは、ウォルターの親が増えていった過程と、子育ての性質が変化していくことの両方を意味している。「ウォルターを産んだ体験が、私を生みの母にしました」と言い、「でも、おむつを換え、ミルクを飲ませ、彼を愛し、心配する、という行為が私を母親にしました」

もっと大きな意味では、ＬＧＢＴ家庭が選べる選択肢も徐々に増えてきている。一世代前までは、多くのゲイ男性はゲイブと同じように、「伝統的な」家庭生活が自分たちには生物学的にも社会的にも存在し得ないものだと感じていた。同性婚、生殖技術の発展、そして更にリベラルな養子縁組の法律は、かつて閉め出されていた一部の人々にも扉を開いた。そして今その扉から入ってくる人たちは、自分たちの生きているうちに起きた素早い進化についてしばしば感嘆している。書籍『「ちがい」がある子とその親の物語』の最終章の中で、作者のアンドリュー・ソロモンは「長い間、子どもたちは私を悲しませる存在でした。悲しみの出どころは、少しぼんやりしていましたが、ゲイの人々の人生における子どもの不在が、繰り返し自分の目前に悲劇として差し出されていたことから来ていたのだと思います。子どもたちは世界で一番大切な存在です。だから、子どもたちは私の挫折の象徴でした」と書いている。

私も、子どもを人生の中心に考える信念を教え込まれて育ったため、自分が子どもを持たないかもしれないと考えたとき、自分が持たざるものを常に思い起こさせることのない、大きく違う人生を望んだ。私も、他の人の子どもを見ると悲しくなった——子どもたち自体ではなく、親たちが（当然のように、だけど、私には気取って見えた）自身の存在の核であるかのように、子どもを抱き上げる様子を見ると、悲しくなった。

私にも今は娘がおりソロモンには四人の子どもがいる——彼の子どものうち二人は、彼の夫と血のつながりがあり、夫のレズビアンの友人二人との間に生まれた。もう一人は、ソロモンが父となり親友の女性との間に授かり共同養育をしている（アートマンとヴィクターの養育状況と似ている）。そして末の子は、ソロモンと血のつながりがあり、夫の実子の母親たちの一人が代理母となり、出産した。ここで挙げた子どもたち——私の娘、アートマンの息子、ソロモンと彼の夫の娘たち息子たちは皆、ある種のＡＲＴによって生まれており、ＡＲＴなしには私たちはプラン

Ｂファミリーを作ることはできなかった。アートマンは、ヴィクターを授かる際に不妊治療クリニックで感じた「何かをやりおおせた」喜びの感情は、まわりのストレートのカップルの心境だと想像していた「気まずさや無力感とは全然違っていた」と書いている。「ゲイの人々にとって」彼女は続ける。「クリニックにいること自体が勝利ですから」

私が同じように感じるまでにはもっと時間がかかったけれど、今は私もＡＲＴによって力をもらっていると感じている——その成果や、娘のいる人生の素晴らしさや、もう一人子どもを産むかや産む時期を選べるということだけでなく、もっと抽象的に、ＡＲＴが選択や決意を迫るところや能力の限られた人間の体を引き立てるところに。そして、ＡＲＴが私を、ソロモンやアートマンと同じ大義に引き込むところに。

どうやって始めよう？　ゲイブとトッドは親になる決意をしながら、考えた。この問いは以前から、プランＢファミリーを模索するストレートのカップルよりも、ＬＧＢＴカップルにとって、もっと複雑なものだった。オーバーグフェル裁判の判決後、養子縁組がミシシッピ州を除く米国の全州で利用しやすくなった。ミシシッピ州は、同性カップルによる養子縁組を禁止していたものの、これは後に連邦裁判所によって違憲とされ廃止された。ところが複数の州で、里親や養子縁組のあっせん団体に宗教上の理由による差別を認める議案が提出され、里親支援団体による差別からLGBT家庭を明確に保護したのは七州だけだった。二〇一五年の連邦最高裁の判決以前は、一部の州ではこうした養子縁組をまったく認めておらず、病気や怪我などの緊急時、教育の進路決定の際、遺産相続時、その他ストレートの養親には当たり前の状況において、親や子が守られない妥協案をLGBT家庭には強いていた。

ノースカロライナ州でも他州でも、同性カップルはストレートの親と同じ権利と認知を得る以前から子育てをしているにもかかわらず、同性婚の権利とLGBTの人々の養育の権利は、複雑に関連し合ってきた。オーバーグフェル裁判の支援のために提出された法廷意見書にあるように、同性カップルが養子または里子を育てる可能性は（異性カップルより）三倍高いそうだ。

LGBTの権利を専門とするNPO団体Equality NCの運営ディレクターであるショーン・ロングは、八年前に、パートナーと共に五歳の男の子を里親制度を経て養子に迎え、父親となった。

「息子は**アイゼア**と言います」というショーンの言い方は、私が娘の名前を声に出すときに、少し間を置いて誇らしそうに強調する言い方と同じだった。

「息子は、私の命そのものです」

ショーンと彼のパートナーのクレイグ・ジョンソンは、ノースカロライナ州ウェイク郡で、里親制度から養子を迎えた最初のゲイ男性だった。社会福祉事業団体の職員や里親・養子縁組の研修に参加している他のカップルは歓迎してくれ応援してくれたものの、ショーンとクレイグは、グループ内で最後にソーシャルワーカーに子どもを紹介されたカップルでもあった。同性婚はノースカロライナ州で認められていなかったため、未婚のカップルだった二人は既に六か月一緒に里親家族として暮らしていたにもかかわらず、共同で息子と養子縁組をすることができなかった。二人は、クレイグを養親とすることを決意し、今までのように暮らしていけるように自分たちを法的に保護するための文書を作成したものの、ショーンは「里親から法的には赤の他人になる」ことに苦しめられたと言う。ショーンとクレイグは他の複数の原告とともに、ＡＣＬＵ[3]が、同性婚を禁止するノースカロライナ州の憲法修正条項に対して起こした訴訟に参加した。

　そして、勝った。二〇一四年十月十日、連邦裁判所判事はノースカロライナ州の同性婚禁止は違憲であると判断を下した。ショーンとクレイグは、地方裁判所[4]に真っ先に並ぼうと計画していたけれど、たまたま家族行事とぶつかってしまった――その日、市外でアイゼアのサッカーの試合があったのだ。次の月曜に、二人はアイゼアの立ち会いのもと結婚をし、他のサッカーパパと同じ権利を手に入れた。「私たち二十年一緒にいるんですけど」とショーンは言う。「結婚一周年の記念日を楽しみにしてるんです」

オーバーグフェル対ホッジスの裁判にもあったように、ノースカロライナ州の原告の人生における子どもの存在というのが、この訴訟が世間に訴える重要な要素だった。同性婚を禁止する州の憲法修正第一条は、二〇一二年の予備選挙の時期に住民投票が行われ、圧倒的に可決された。しかしその後、潜在的にプランＢファミリーの家族構成を持つＬＧＢＴ家庭が、さらに積極的に声をあげるようになり、こうした家族が存在するという周知が進んだ。「差別は啓蒙の問題です」と、ショーンは言う。「もし『これが私の家族です。自分たちは親で、この子たちは私たちの子どもで、私たちは子どもを守ろうとしています』って言う機会をもらえたら、他の人たちももっと心を開いてくれるでしょう」

けれども依然として同性カップルが養子縁組を希望する際、差別や偏見を受けることが往々にしてある、とショーンは指摘する――ヘテロセクシュアルのカップルの方が良い親になれると思うソーシャルワーカーや、故意に差別を行う民間団体が存在するのだ。この潜在的に油断ならない状況がゲイブとトッドを立ち止まらせた。米国内で最大の養子縁組あっせん機関の一部は、

3 アメリカ自由人権協会。人権擁護団体。
4 ノースカロライナでは地方裁判所の司法官のみが婚姻手続を行える。

ＬＧＢＴのカップルまたは個人へのあっせんを拒否している（最大の団体であるベサニー・クリスチャン・サービスは「聖書の教えと一貫した」判断を行うことを公約に掲げており、ＬＧＢＴカップルへのあっせんは行っていない）。オーバーグフェル裁判後も、他州が、いわゆる宗教上の自由を訴え、養子縁組あっせん機関が同性カップルへのあっせんを拒否することを認める法案を可決する可能性があった（ミシガン州は、そうした州法を最高裁判所の判決が下る前の六月に可決していた）。そして、ヒューマン・ライツ・キャンペーン[5]が発表したＬＧＢＴの人々が利用できる養子縁組手段の概要によると、文化的偏見と差別的な国際法によって「同性カップルであることを公言している場合と、ＬＧＢＴであると公言している単身者の場合、国際養子縁組は非常に難しい」ということだ。米国内の養親に人気の高い国の多く（グアテマラ、中国、エチオピア、韓国、ロシア）は明確に、同性カップルや単身者による養子縁組を禁止している。リチャードと私が検討していたエチオピアとハイチも、いずれもゲイブとトッドには養子縁組を認めていなかった。

　ゲイブとトッドが血のつながりのある子どもを授かるには、代理出産が必要となる。この手段は非常に高額で法的にも複雑なため、この分野を専門とする法律事務所が複数存在するくらいだ。

複雑な法律問題の一番の原因は、州によって異なる法律で、とりわけノースカロライナ州ではその法律が不明瞭で、ジェステーショナル・サロガシー[6]とよばれる、ドナーによる卵子提供で作られた胚を、契約を結んだドナーとは別の女性が妊娠する代理出産を規制する法律は何もなかった。

ゲイブは、血のつながりのある子どもに惹かれていた。一人っ子であった父親は、ホロコーストからの生還者だった。母親も一人っ子であった。しかし家系を守りたいという望み以上に、トッドと二人で本当に望んでいるのは「生まれたてのところから子を育てること」だとゲイブは言う。この目標を叶えるのに最も適しているのは、ジェステーショナル・サロガシーだと二人は決断した。トッドにとって血のつながりはそこまで重要ではなかったため、ゲイブが男性側の配偶子を提供することに双方合意し、審査を受け、地元のクリニックで遺伝性の遺伝子異常がないか検査を受けた。ゲイブ曰く、クリニックの採精室のポルノのセレクションは、「笑っちゃうくらい異性愛《ヘテロノーマティブ》が当たり前って感じだった」し、手順の説明もわかりづらかったそうだけれど、すべて上手くいった。ゲイブの精子は元気なスイマーだったし、ユダヤ人の家系に多い病気の遺伝はな

5 米国の人権擁護団体。
6 代理母出産には二つの方法がある。ジェステーショナル・サロガシーは、卵子ドナーとは別の女性が代理出産を行う。トラディショナル・サロガシーは、出産する代理母本人の卵子を使う。

かった。

どのように、どこで代理母を見つけるかというのが大きな問題だった。二人の親しい女性の友人たちのほとんどは年齢が高過ぎるか忙し過ぎて、頼んだり引き受けたりできなかったし、親戚の中に代理母となってくれそうな人はいなかった。米国人の代理母に依頼した他のカップルを知っていたけれど、これは他州でのあっせん団体と代理母との契約が必要となり、びっくりするほど高額であった。法的手続き、団体への手数料、医療費、代理母への費用あわせておよそ十五万ドル[7]だ。

ゲイブの家族はイスラエル系米国人で、ゲイブにはイスラエルにドロン・マメットという、国際代理出産の運営団体タンムズを設立した友人がいた。タンムズは、主にイスラエルと米国の希望者に、米国、インド、（当時は）ネパールの代理母を紹介していて、利用者の多くはゲイ男性だった。ゲイブとトッドは、ネパールのプログラムに興味をもった。これは、インド人の女性が一人でまたは家族とネパールに行き（インドでは同性カップルのための代理母出産は禁止されている）、ネパールに医療観光ビザで滞在する（ネパールはネパール国民の代理出産は禁止しているものの、当時外国人はその対象外だった）というものだ。女性たちは、南アフリカのドナー（イスラエルでは卵子提供は違法）提供の卵子から作られた胚で妊娠し、妊娠中はカトマンズのマンションで暮らし、ここで欧米諸国の妊婦と同じ産前ケアを受ける。このプログラム特有の現実的、そして感情面での課題——高額で時間のかかる旅行が必要となること、地球の反対側の貧しい国で自分の子が胎内で育つのを待つことなど——は、その費用に反映されており、やはり米国内の代理出産に関連する費用のおよそ半分ほどかかる。タンムズは、特にゲイ男性に向けてサービスを提供しており、イスラエルの代理出産を規制する法への対応として設立された——ヘテロセクシュアルのカップルだけが、イスラエル人の代理母と代理懐胎契約を結べるのだ。

「ずっと親になりたいと思っていました」マメットは『Google Baby』という、二〇一〇年に制作された国際代理出産についてのドキュメンタリーの中で、Skype越しに希望者のカップルにそう語りかける。「私が親になる価値がないとか親になるべきじゃないとか、他人の意見で決められる理由はありません。だから私は親になりました。そして、他の皆さんが親になるのを喜んでお手伝いします」

『Google Baby』をある程度の居心地の悪さを感じずに見るのは難しいし、レビューはこの映画で晒された国際的な赤ちゃん市場に批判的だった。それでも、マメットはこの映画（二〇一一年

7　一ドル百円で換算した場合千五百万円。

のエミー賞受賞作品だ）により集まった注目は、彼の会社の質の高さを表しているかのように、もしくは自分の事業の物議を醸し出す性質を認める手段として、タンムズ・インターナショナルのウェブサイトでこの映画に言及している。私が彼とSkypeで話した際に彼が教えてくれたのは、『Google Baby』は一つの話のように見えるけれど、実はマメットとクライアントとの面談、タンムズと関係のない米国の卵子ドナーの話、そしてタンムズと仕事をしたことがないインド人の代理母たちの話という、三つの関連性のない話を描いているということだ。

　この映画と国際代理出産全般に対して反応した批評家たちは、このプロセスを取り巻く規制が欠けていること、インド人の代理母たちの経済面および医療面での代理人がいないこと（謝礼は夫に対して支払われ、不要な帝王切開手術が日常的に行われている）、一人のＩＶＦの臨床医兼産科医の軽率でビジネスライクな対応（この女医は出産後の代理母の縫合中に電話にでる）、そしてプロセス全体が極端なグローバリゼーションのメタファーとして描かれている様に異議を唱えた。

　記録に残る代理出産の形は、サラがアブラハムに女性の召使いと子どもを迎えるように言う、旧約聖書にまで遡るものの、現代の代理懐胎契約への見解は、そのディストピア的で未来的な性質や、代理母や血のつながりのある母親に子どもを手放させるような契約に対する人々の不快感を強調しがちだ。私も、マーガレット・アトウッドの『侍女の物語（ハンドメイズ・テイル）』を七年生のときに読んで（母の所蔵を借りたけれど、母はおそらく知らない）、アトウッドの描く、裕福で力のあるカップルが妊娠する能力のある若い女性を強制的に家に住まわせ、夫とのセックスを強要し、カップル自身の子として育てるために子どもを産ませる、という軍国主義的なキリスト教にもとづく政治が行われる社会を恐ろしく感じたのを覚えている。

　アトウッドは、出版前は大きな不安を感じたと書いているものの、この本は好意的な評価を受け、たちまちベストセラーとなった。米国では一九八六年の二月に出版され、奇しくもそれは、代理出産の倫理的かつ法的懸念に世界中の注目を集めた裁判闘争の中心となる「ベビーM」誕生の一か月前のことだった。ベビーMはメアリー・ベス・ホワイトヘッドという、ニュージャージー州ジャージーショアに住む女性のもとに生まれた。彼女は、ジェステーショナルではなくトラディショナル・サロガシー〔出産する代理母自身の卵子を利用する代理出産〕の代理懐胎契約をウィリアムとエリザベス・スターン夫妻という、ニュージャージー州テネフライに住む裕福な不妊カップルと結んだ。ホワイトヘッドはウィリアム・スターンの精子を人工授精し、出産の際に一万ドルの契約を解消し、子どもを自分の元に置こうと決めた。この裁判は――最終的にベビーMをスターン夫妻のもとに返しつつも、ホワイトヘッドの訪問権も保護するものとなった――貧しい女性が裕福な人物に肉体的に搾取された際にどんなことが起き得るのか、アトウッドの小説のように多くの人に考えさせた。その結果、米国の複数の州が報酬を支払う代理出産を完全に禁止した。代理母に子どもとの血のつながりはないジェステーショナル・サロガシーは、カリフォルニアなどでは一般的な方法となったものの、やはり報酬は禁止されていた。

　多くのフェミニストたちは、ベビーM裁判で養育権を争う中、子どもにあげたおもちゃから染めた髪の色まで、母親の適格性を厄介な審議にかけられたホワイトヘッドを擁護する立場を取った。ニューヨークの女性作家のグループは、「こうした判断基準において、私たちは皆不適格な母親です」と宣言をする公開書簡を書いた。この公開書簡は百人以上の女性によって署名され、その中には、ベティ・フリーダン、グロリア・スタイネム、ノーラ・エフロン、そしてメリル・ストリープもいた。

　私もメアリー・ベス・ホワイトヘッドを擁護していただろう。今もそうするだろう——妊娠すらしていない段階で、九か月もの間子を身ごもる前に親権放棄する契約を交わした際に、彼女が子どもを手放すときにどう感じるか予想できていたとは想像し難い。だからと言って、親になる予定だった二人に感情移入しないわけではない。特に小児科医であり、子どもが成人するまで育てたにもかかわらず、裁判所に母親としての身分を法的に無効とされ認められなかったエリザベス・スターンに。そして、人生の初めの数か月が、世界中を巻き込んだ大騒動として公に晒されたベビーMにも。

　マーサ・アートマンは、報酬を伴う代理母出産を手配することで、代理母と未来の親と子どもを守ることが可能だと主張する。必ずジェステーショナル・サロガシーを選び、代理懐胎契約を認めている州で行うことで、「多くの場合、人は対価を支払い欲しいものを手に入れるため」問題は起きないそうだ。しかし、自分の子どもを、何千キロも離れた発展途上国の教育を受けていない女性が身ごもる場合、自分の代理母がきちんと説明を受けており搾取されていないと、どうすればわかるのだろうか。分娩室から新生児が連れて行かれる際に、代理母が長く続く悲しみを感じないなんて、わかる術はあるのだろうか。

　ゲイブは、ネパールで過ごす女性たちが快適に暮らしていて、暮らし向きは良くなり、家を買い、子どもに教育を受けさせられるようになっていることを自分は願っているし、マメットにもそう言われたと語っていた。けれども、「わからないし、わかりようがない」とも認めていた。

　米国人の代理母たちにより二人の子どもを授かっているマメットは、タンムズの代理出産としてインド人女性の代理母を採用する唯一の倫理的懸念は、意思決定の問題だという――女性が夫や家族にこの仕事を引き受けるように圧力をかけられていないかは確かでないからだ。「私には、わかりません」と彼は言う。「でもそれは米国人（の女性）の場合でも同じです」

タンムズ・インターナショナルは二〇一五年の四月、再びニュースになった。マグニチュード七・八の地震がネパールで起き、八千八百人が亡くなり二万三千人の負傷者が出た。カトマンズ在住のタンムズの代理母やスタッフは誰も怪我がなかったものの、何人もの赤ちゃんが、一時《いっとき》には十五分から二十分間隔で来た強い余震の中で生まれた。数人は未熟児として生まれたものの、病院の駐車場の暖房を効かせた車の中で、赤ちゃんたちを暖かく安全に保った献身的なネパール人の看護師たちのおかげで、皆無事だった。数日から数週間早く生まれた赤ちゃんもおり、未来の親とすでに一緒に暮らしていた。その多くがイスラエル人のカップルで、赤ちゃんを連れて帰るために必要なパスポートや出生証明書の取得などの手続きをまだ行っている途中だった。

ネパールは、美しい景色やエベレスト登山に惹かれるイスラエル人に人気の観光地だ。イスラエルの反同性愛的な代理出産の法規制と、ドロン・マメットの立ち上げた事業の拡大により、実質的にも倫理的にも複雑な形の医療観光で人気の渡航先にもなった。合計二百二十九名のイスラエル人の登山客、観光客、保護者そして新生児が、震源地またはその周辺にいた。イスラエル政府は救助チームを派遣し、野外の避難所を設置し、地震の被災者の世話をした。命に危険のある新生児も含め、イスラエル国民を避難させたけれど、インド人の代理母は置き去りにした——少なくとも十五名は産後で、八十名以上が妊娠中だった。

　このニュースをどう読み解けばいいのだろうか？　一部の人は、イスラエルが国民だけを航空機で避難させたことは西洋の冷淡さと排外的愛国主義の例であり、野外の診察所も搾取的な赤ちゃん市場をごまかすためのものだったと捉えた。他の人たち——特に新生児の親たちは、ヘテロセクシュアルのカップルだけが自国で家族を増やすことを認められているという差別を暴露するチャンスだと考えた。しかしこのニュースが大々的に報じられたのは、エキゾチックで奇妙だと捉えられたからだった。精子はイスラエルから、卵子は南アフリカから、代理母はインド出身、そしてネパールでの地震。［アメリカの非営利のラジオ局］ＮＰＲのウェブサイトには、病院のガウンを着た二人の父親が小さな息子を抱いている写真が、こんな見出しとともに載せられた。「これぞ、インターナショナル・ベビー」

　地震の知らせを聞いたとき、ゲイブはトッドに、もし状況が普通の状態に戻ったらネパールでの代理出産をそれでも進めたいか聞いた。トッドは進めたいと言ったし、ゲイブも賛成だった。しかし、普通の状態に戻るということは、病院の再建や余震（本震の二週間後に強い地震がネパールで起き、あらたに二百人が亡くなった）が過ぎるのを待つ以上のことを意味した。プログラムが存続するには、地震と赤ちゃんの飛行機救出が招いた、強まる監視を乗り越えなければいけなかった。タイもまた、規制が少ない発展途上国であり、かつて大きな代理出産の市場があったものの、二〇一五年に二つの大きなスキャンダルが起きた後に国際代理出産を禁止した。ダウン症の子どもを見捨てたとされるオーストラリア人のカップル（現在は代理母が子を育てている）の事件と、タイ人の代理母を通じて、十六人の子を授かったとされる日本人男性の奇怪な事件だ。

ネパールで国際代理出産が継続されるかどうかは、この救出のニュースがどう解釈されるかにかかっていた。ネパールは生殖医療目的の観光をさらに規制すべきか？　代理出産という事業自体をそもそも存続すべきか？　イスラエルが自国の法律を変え、国民全員が代理出産を利用できるようにすべきではないか？

こうした問いは、私たち夫婦が国際養子縁組を検討したときのことを思い出させる。私たちが払えるプログラムの中で、一番短い待機期間で最も年齢の低い子どもを迎えられるものは、最も規制が少ないものだった。こうした国々はプログラムを差し止めたり、もっと時間をかけさせたりすべきでは？　そう問われたならば、私はそうすべきだと思った。実際にそうなったというニュースを聞き、がっかりしなかったか？　と問われれば、私はやはりがっかりしていた。

プランBファミリーの家族を築く手段のほとんどに、ある種の契約が含まれる。体外受精治療の周期の始めに、リチャードと私はコストシェア契約（一部返金保証）を提供する代理店と、胚を生み出し保存を担当するクリニックと、それぞれ契約を交わした。沢山の質問の中でも、未使用の胚をどうするかと離婚の際にはどうするかについて、私たちは採卵前に決断しなければならなかった。最近になり、コストシェアの契約内容を読み返していたら、読んだ覚えや同意した覚えのない重要な詳細があることに驚いた――例えば、医師が最適だと判断した数の胚の移植を許可する、などだ――けれども、私の署名が書面の一番下に、リチャードの署名にならんで書かれていた。

　他の多くの国々と比較すると、私たちは契約内容を判断できるだけの十分な知識を持っている。読み書きの能力と、契約書が自国の言葉で書かれているという点で、私たちと、例えばドロン・マメットの運営するあっせん団体と契約を結ぶ多くの代理母たちは異なる。そして、それでも見落とすのだ――無頓着や不注意だったからではなく、他に選択肢がないと感じていたからだ。

　プランBファミリーを築く上での矛盾点の一つは、この試みは偶然起きる類のものでなく、何か月や何年にもわたり待機や計画をするにもかかわらず、最もリスクを抱える関係者の対応をして物事を進めるのは、金銭的利害を持つ専門家だという点だ。養親希望者は、病院や児童養護施設から子どもを引き取るか決断するのに最低限の時間しか与えられない。米国内では、生みの母が親権放棄の意味を考えるのに最短期間しか与えられていない州で養子縁組を組むように、養親希望者は提言される。ＡＲＴ患者が、急に治療上や法的な決断が必要になることについて、治療の始めにきちんと説明を受けないことも往々にしてある。親になるＬＧＢＴの人々にとっては、自分たちの権利を認めていると限らない法制度が、親になるまでの過程で下した決断をさらに複雑にさせるため、与えられた選択肢を受け入れろという圧力になりかねない。

『Google Baby』の監督ジッピ・ブランド・フランクによる唯一の直接的なコメントは、映画の冒頭に文字で映し出される。「六〇年代、経口避妊薬の登場は、セックスから『子作り』を取り除いた。今日《こんにち》の新しい技術は、セックスを『子作り』の行為から取り除いた」。命の創造におけるセックスの不在——液体窒素タンクの中に保存された試験管ベビーたち——は、今に始まったことではないと私は思った。それよりも、この映画の中で一番動揺させられた部分は、規制が何もなく、すべてが急かされているという雰囲気だった。マメットがクライアントの相談を電話かSkypeで受けており、別々の三組のカップルが、妊娠の可能性を上げるために胚を二人の代理母に同時に移植するという提案に実際に同意すると、マメット自身が驚いていた。デリーの体外受精治療兼産科クリニックで行われる帝王切開手術が数分ほど画面に映し出され、代理母がほんの少し抱いた後に、赤ちゃんはさっと連れて行かれる。「嬉しいの？　嬉しくないの？」お腹にいた赤ちゃんがそばにあるテーブルで綺麗にされる中、鎮静剤を投与され静かに涙を流している女性に対し、産婦人科医はきびきびと尋ねる。代理母には一瞬の喪失感も認められていない。

　国際的な代理出産市場につきものの不均衡なパワーバランスは、自国でかかる費用の半分程度で代理出産をインドやメキシコやネパールで手配できるという、単にお金の問題だけではなく、依頼主の住む先進国の入り組んだ差別的な法の背景の問題でもある。イスラエルでは、多くの同性カップルが受け入れられていると感じる、LGBTを支援する一部の法律や家族を重んじる雰囲気があるものの、家族法は保守的なラビ［ユダヤ教の指導者］の教えに基づく裁判所によって判断され、同性カップルによる代理出産は認められる見込みがない。アイルランドは、圧倒的な支持をうけ二〇一五年に同性婚を合法化したものの、代理出産は禁止しており、最近になりやっと同性カップルによる養子縁組を認め始めた。米国では、州ごとに代理出産をとりまく法の状況は異なり、多くの場合はっきりとしない。ゲイブとトッドは、自分の住まう州で報酬を受け取る代理母と契約を結べないため、カリフォルニア州かイリノイ州での代理出産が必要となり、間違いなく費用と不便がさらに増える。

　こうした理由から、親になりたい人たちが規制のない市場へと押し出され、自分の肉体にできることが自分の最も大きな経済的価値である女性たちと契約を結ぶ——胚移植を受け、元気な赤ちゃんになるまで体内で育てるのだ。

「商業的な動機が影響していないというのは、誰が言っても嘘になるでしょう」ゲイブはそうメールに書いていた。「だけどその動機は、西洋人が他の、文字通りあらゆるものをグローバル市場から買う際には、もっと野放しの暗い方法で影響しています」

　理想的なのは、年下の友人がゲイブとトッドの代理出産を引き受けてくれることだった。少しの間、自分がその勇敢な女性になる想像をした。素晴らしい父親になるとわかっている二人にあげられる、このうえない贈り物だ。けれども、タイミング（私は四十歳間近だ）と健康上のリスクと、**妊娠**にかかりきりになるという状態を考えると、状況は温かで利他的というよりも、怖いように思えた。養子を迎える決意について話してくれたパルル・ゲッツは、彼女の妹が自分の子を産む提案をしてくれた後に、代理出産を検討していた。しかし、「そんなこと頼めないし、もし自分の妹にも頼めないなら、他人に頼むなんてもっとできない、と思ったんです」と言っていた。

　自身が妊娠と流産を複数回にわたり経験したことから、こうした考え方になり、パルルは国内養子縁組を選ぶに至った。ゲイブとトッドにとって新生児の養子縁組は生みの母に、血のつながった子を手放すことを頼むことであり、代理懐胎契約よりも倫理的にさらに複雑になる可能性がある。私自身がどちらの選択肢に落ち着いていたかはわからない。けれども、私にはもっと簡単な選択肢が与えられていた。プランBのどの形を選ぶかという分岐点で、トッドとゲイブの状況にもなったことがあるし、ネイトとパルルの状況にもなったことがあるからこそ、私は、彼らの選択肢を裁かない。裁けない。

今や資金があれば誰でも、ARTやその他の方法で親になることができる。何年にもわたる不妊により負担を強いられてきたカップルも、胚の着床前診断や、病気のミトコンドリアを第三者のDNAと交換する遺伝子治療などを含む、新しい治療を選ぶことができる。ドナー提供による卵子、精子、そして胚を選択することができる。独身女性やレズビアン女性は、膨大なドナーのデータベースから選ぶか、知り合いにドナーになってもらい、クリニックで人工授精を行うか、薬局で取り扱っているシリンジで、自宅で授精を試みることができる。カップルそして個人は、民間のあっせん機関か里親制度を利用して国内で養子縁組を行うか、世界のさまざまな地域のあっせん機関や孤児院と連携することができる。ゲイ男性やレズビアンまたはストレートの女性たちは、ソロモンやアートマンのように代理出産やドナー精子の人工授精などの契約を結び、独自の家族の形を作るか、またはパートナーの精子をドナー卵子と受精させ、胚を地球の裏側に運んで面識のない人に身ごもってもらうこともできる。

拡大し続ける**親**の定義は、血のつながった親の価値を強調する一部の人々にとって脅威となる。しかし、**血のつながり**という言葉の定義すら変わってきている。子育てを通して作り出す環境が、子どもたちの遺伝子の性質の現れ方に直接影響を及ぼすため、ここまでに語ってきた親になる方法すべてに、遺伝子レベルだとしても生物学的なつながりがあることはわかっている。

「自分の人生ではいつも、アイデンティティは常に変化してきました」ゲイブは最近そんな風に語っていた。「いつだって、こういう人間になるはずだった自分を手放すか、手放せるようにしています」

これは、常に進化と拡大を遂げてきた、結婚の平等や生殖の権利の平等にも通じる話だ。世間の思い描く親のイメージが拡大するなかで生殖技術を利用することは、この進化し続ける話の一部だ。マーサ・アートマンは長い間「愛する女性と私両方に血のつながりがある子どもを授かれるように、二つの卵子で子どもを作れたらと願っていた」と書いている。それは不可能だったため、生殖技術をアートマンは利用した。そしてアートマンと彼女の妻は現在、二十一万人の米国人の子どもを育てる、十二万二千世帯にのぼる米国内の同性カップルのうちの一組である。

しかし、一つの現実（プランBで親になること）がもう一方の同性婚の現実を支持し、またその逆もある中で、法律が追いついておらず、親、子ども、親になりたい人々が苦しんでいる。養子縁組は今も、同性カップルにとって、より複雑で高額になり得るし、特に宗教の自由という例外を認める州においては、養子縁組や里親のあっせん機関から偏見をもたれる可能性がある。おそらく子どもにさらなる安定を与えることを願う場合や、または生殖補助医療やその他の形で家族を迎える前に結婚をする同性カップルは、全米の半数以上の州で解雇される可能性がある。[8]あらゆる人を対象に体外受精治療を規制する、胎児の人間性を主張する法改正や、ヘテロセクシュアルの既婚カップルにのみ体外受精治療を制限しようとする試みなど、いずれにしてもＡＲＴは頻繁に規制の的となっている。

　私が教師になったとき、私は教え方を生徒に合わせて変えるように教えられた。すべての授業、すべてのテストは、クラス内の大多数の生徒にだけでなく、生徒全員の学習方法と自己表現の方法に配慮する必要があるのだ。初めの頃、そんなの無理な作業だし、時間も掛かりすぎるし不自然だと感じていた。教材も複数の形を作らなくてはいけなかったし、宿題やテストも複数の種類を出した。昔ながらの方法では支援できない生徒たちには、どんな方法なら効果があるのか想像

8 二〇二〇年六月に米国最高裁はＬＧＢＴに対する雇用差別は公民権法違反であるという判断を下しているものの、性的指向とジェンダーアイデンティティに基づく雇用上の差別を禁ずる明文規定がない州は二十八州ある。

するのは難しかった。私自身は、いつもおとなしく椅子に座り、教科書を読み、従来の筆記試験を受けてきた（幼稚園から高校教育までおおむねこうした形式だった）昔風の学生だった。それでも、教育学の教授陣に教わった通りに教えるよう努めていたら、教授たちが正しかったことがわかった。授業を生徒に合わせることは、恐れていたほど難しいことではなかったし、やり甲斐があった。こうすることで皆がもっと学べた。教え方を一部の生徒のニーズにあわせて広げたところ、全生徒の学習成果があがったのだ。おまけに、子どもたちは前よりも喜んでいた。

法制度は幸福を保証しない（表面上は幸福の追求だけ保証している）けれど、すべての人を取り残さない《インクルーシブな》法整備は、少なくとも結婚と親になることに関して言えば、教え方を変えることと同じような効果があるように思う。「多元的な法整備は、家族法の目的にさらに適しています」ダグラス・ニジェームはそう語っていた。どういう部分を指すか、私は尋ねた。ニジェームは、ある部分では「私たちが形成する様々な扶養関係を認め、支援することです。この扶養関係はしばしば、長く法によって支援されてきた、親と子や配偶者間の関係の形をとるけれど、他の取り決めの形を取ることも増えつつある」という。インクルーシブな法規制を作ることで、子どもたち、同性カップル、異性カップル、ドナー、生みの母、代理母、皆を守れるよう努められる。

オーバーグフェル裁判を終え、ノースカロライナ州が代理懐胎契約を取り交わした家族を保護する必要性を検討し、それに適した法整備を進める可能性もある。しかし、今家族が増える用意をしているゲイブとトッドにとって、それでは遅すぎるのだ。倫理的に確信が持てない部分や、未知の部分に不安を感じた二人は、外国のあっせん機関に依頼するという考えを変えた。二〇一五年八月下旬、ネパールの最高裁判所が、自国の代理懐胎契約プログラムの停止を命じたので、良いタイミングだった。ネパールのプログラムが停止する前、二人はマメットや他の米国内のあっせん機関やクリニックにも相談をした。今は、米国人の代理母と契約を交わす可能性に期待を寄せている——ゲイブ曰く、意味のある関係を作っていけるような誰かと。

　将来子どもがどうやってこの世に生まれてきたか、二人は子どもにどうやって話そうと考えているか、私はゲイブに尋ねた。「子どもには最初から正直に話すつもりだ」と言っていた。話を理解できる年齢になったらすべてを話し、卵子ドナーや代理母が受け入れる場合、ある時点で二人への連絡も取れるようにしようと考えている。「君は**私たちの**子どもだよ。だって私たちがそう信じているから、とも伝えるつもりです」

　ゲイブとトッドは、［オーバーグフェル対ホッジス裁判の］最高裁の判決が発表される二週間程前に、二回目の結婚記念日を祝っていた。ゲイブは、結婚式を執り行ってくれたラビのシャルヘベット氏と、様々なユダヤ教の儀式の実践とその意味について沢山の話し合いをして、自分たちの状況に合わせて内容を変えたことを思い出していた。カップルが七回お互いの周りを回るハカフォットは三回に短縮し、お互いの周りをそれぞれ一周して、最後に同時に回った。グラスを踏み割る儀式は、望まれる結婚生活の長さを象徴する（「割れたグラスのすべての欠片を拾い集め、もう一度完全に、つなぎ目なくグラスを組み合わせるのにかかるくらいの時間――つまり永遠ですね」とゲイブは説明してくれた）のだけれど、今時の多くのカップルのように、二人はもっと割りやすい電球を使った。一部のラビは、カップルがパーティーに参加する前に、イフードと呼ばれる個室で数分二人きりで過ごさないと、結婚が成立したと見なさない。二人が式を挙げたレストランにはイフードがなかったので、ゲイブとトッドは自分たちのなし得たことに「くらくらするくらいびっくりして、興奮して感動」しながら、レストランの周囲を一周した。それは二人の結婚だけではなく、二人が子どもを迎えるまでの物語のメタファーにも聞こえた――状況に適応しながらも伝統に根ざし、社会の文脈から情報も得ながらも、個人で決断をする、というものだ。

「なんて道のりだったんでしょうね」ゲイブは言う。「そんな道のりが、続いています」

Carrying

第II章 妊娠

胚を移植したのは、雨で寒い日だった。二月後半の日曜日で、いつもなら教員特有の月曜への深刻な脅え——課題の作文の採点や授業の準備——を感じながら過ごしていた。でも、その週の前半は休みを取っていたので、帰宅するとすぐに横になったのを覚えている。疲れていたとか痛みがあったからではなく、動かないことでうまくいく確率が上がると思ったからだ。胚は、細心の注意をもって管理された培養室の環境でしっかりと育っており、細胞は均等に予定通りに分割していた。何かで読んだ、子宮腔内に穏やかに浮かんでいた胚がしっかりと着床する様子を思い浮かべようとしたけれど、うまくいかなかったので代わりにじっとすることにしたのだ。

体に別の体がくっつくことが妊娠の定義であれば、私は水曜の明け方には妊娠していた。どうしてわかったかというと、自分の中がねじれそうなくらい強い痛みを感じて、ベッドから飛び起きたからだ。私は起き出して、家中を歩き回った。空はすでにすっかり晴れていて、電気を点けなくても月明かりだけで家の中が見えた。痛みが散るまで私は歩き、それからまた布団にもぐりこんだ。

その朝、私の体は変化していた——胸は大きくなり、青い静脈が網の目のように浮かび、触ると痛くなっていた。私はおそるおそる、この新しい体で一日過ごしてから、当時三度目の体外受精治療の周期中だった友人に、こんなにすぐ妊娠の徴候がわかると思うか尋ねてみた。多分投与しているプロゲステロン坐薬のせいだよ、と少し申し訳なさそうに、そしておそらく少し苦々しげに彼女は言っていた。これまでの上手く行かなかった治療で、彼女も同じ徴候を感じたり思い描いたりしたに違いない。

でも、その時点で私は確信していた。毎朝私はリチャードに「私、妊娠してると思う」と言い、「僕もそう思うよ」と彼も答えた。妊娠検査薬を買い、移植から一週間後の日曜の朝に検査することに決めた。かなり確信していたので、二つ目の線がピンクに変わるのを待つ間、全然緊張もしなかった。そして数秒のうちに、はっきりと浮かんでいた。その後、私たちはゆっくりぶらぶらと散歩をした。暖かく春のような天気で、ホー川の岸辺では草木が芽吹きつつあった。私たちは若草の上に腰をおろし、ワシが巣のある木に降り立つ前に目の前を何度か横切るのを眺めた。

私たちは恥ずかしくなるくらい運が良かった。体外受精治療の一回の周期で七個の胚ができたし、妊娠検査薬を初めて使った日の翌日にはさらに反応が色濃く出たし、三月初頭なのに春の陽気だった。クリニックで最初に受けた血液検査は決定的で安心できるものだった。その二日後、数値が倍になっていることを予想しつつ再受診した。ところが医師からは動揺する知らせが電話で告げられた――二日間でほぼ四倍の数値になっており、双子の可能性があるという。医師は、一つの胚が二つになるという前例がないわけではなく、確かめるには超音波検査を待つ必要がある、と言った。

私の一番頼りになる才能は、四つ葉のクローバーを見つける能力だ。何百という数を見つけてきたし、時には一度に何十個も見つけることもある。そして家にある沢山のお気に入りの本には、茶色い押し花になったクローバーが適当なページに挟まれている。規則性の中に違いを見つける能力を母から遺伝したと言えるかもしれないけれど、どちらかというと母は、よく見るようにと手本を示して教えてくれた。クローバーが実際に幸運をもたらすとは思わないものの、探していると私は落ち着くし不安が和らぐし、こうした安心感が幸運として解釈されるのだろう（逆に、探しているのに四つ葉のクローバーが見つからないと私は警戒してしまう）。

もしかしたら双子を身ごもっているかもしれないと聞いてから、川辺に散歩しに行くときは四つ葉のクローバーを二つ見つけるという使命を自分に課した（どうやら、木陰のない川岸に差す太陽の光が、クローバーの突然変異に理想的な環境を作っているようだったし、もしかしたらホー川の汚染の歴史も関係しているかもしれない）。続けていた間は、小さな黒い手帳のページに次々と二つのクローバーを一緒に挟んだ。

リチャードの誕生日である三月二十五日、私は出血した。外は暗く、自宅ですでに夕食を済ませ、自分で焼いたケーキを切ろうとしていたら出血が始まった。鮮血を見て私はとてもショックを受け、それがどういう意味なのか全然考えられなかった。リチャードは医師に電話をし、超音波検査を受けに翌朝来るように言われた。まだ妊娠六週目に入っていなかったので、医師が心拍を確認できるか定かではなかった。**休んでください。**そう言われた。**誰にもどうしようもありません。**

ほとんど眠れないまま翌朝車で静かにクリニックに向かい、エレベーターに乗り、待った。ほんの数週間前にスタッフにクッキーを差し入れ、注射や採卵などのきついことを終えたばかりだった。けれども今、もう一度ここで初めからやり直す可能性も大いにあることに気づいた。

時期が早すぎて、テレビで流すような普通の超音波検査は行えなかった。内診台の足置きに足を載せ、経腟の超音波検査にのぞんだ。昨晩電話で話したのと同じ医師で、優しくて静かな人だった。私は息を止めた。医師は、胎芽を見つけ——小さな塊が一つ——**しゅーっしゅーっ**というはっきりとした心拍を確認した。そして、出血の原因もわかった。胎盤と胚の間に、あざのような大きな絨毛膜下血腫[1]があったのだ。血腫が大きくなり流産する可能性もあるし、体に吸収される可能性もあると告げられた。**しばらく様子を見るしかありません**、と医師は言った。

超音波検査の画像を印刷したものを渡され、私は天気図やハリケーンなどの、大気を乱す白く濁った空間を思い浮かべた。それから自分が、体の中によくある穴みたいな黒い固まりの血腫の画像ではなく、画面の砂嵐みたいな細胞組織の方に反応していることに気づいた。無害そうに見えるあざが、痛くもないのに実際には胎芽を脅かしていた。たまたま自分の担当医に廊下で会ったので、印刷された画像を渡した。ヤング先生は、けっこう大きい血腫だと認めていた。他にも

1 胎児部の主体をなす絨毛膜と母体の子宮壁との間に生じる血腫のこと。

凍結胚があるのだから運が良い、と言われた。

でも他の胚では嫌だった。（リチャードの心配そうな忠告に反して）すでに読み聞かせたり歌いかけたりしていて、予定日も覚えていた、この胎芽が良かった。元気で強くて、六週目に入る前に心拍も確認できる完璧な胎芽だ。私の体がそれを裏切るとしたら、なんて不公平なのだろう。

「妊娠っていうニュースと、それをどう黙っているかって、いつも変な感じがする」友人である詩人のエレーヌ・ブリークニーに私が妊娠初期であることを伝えたら、そう書いて送ってきた。体外受精は上手くいったと彼女に伝えていて、その数週間後には私は怖くなり、自己流かつほぼ自己判断で安静にしていた。ベッドからゆっくり居間に歩いて行き、みかんを食べ、メールを送り、執筆を試みた。この間、毎週超音波検査を受けており、血腫は縮みながらも消えていないのを観察していたものの、胎芽は——その時点でカエルのように動くのも見ていた——安定して育っていた。

どう黙っているか。妊娠の知らせを第二トリメスター[2]に入るまで内緒にするのが一般的なのには、理由がある。自分を、そして友人や家族を、良い知らせの後すぐに、悲しい知らせで傷つけないようにするためだ。けれど体外受精治療中であることを人に話した場合、どうなったか聞かれるだろう。医師からは常に新しい知らせがあり継続して観察することに慣れてしまい、そのことばかりを考えてしまう。

少なくとも私はそうだった。ゆっくりと動き、時々起きるうずきや、あるはずのない痛みに注意を払い、第一トリメスターの終わりごろに血腫が消えてから、また精力的に日課の散歩をするようになった。アルコールは一滴も飲まなかったし、コーヒーはデカフェに替えた。井戸の水質検査もしてマンガンの数値が高いという結果が戻って来たので、ボトル入りの水を買った。二十年ぶりに肉を食べたし、左を下にしてしか寝なかったし、一日二回お腹を蹴るのを数えた。黒い手帳の残りのページを四つ葉のクローバーで埋めた。

妊娠中期、カヤックをしにリチャードと友人一人と出かけた。嵐になり、岸辺にボートを引き上げ、激しい雨の中川原に座り、雷雨が止むのを待った。ところが雨は降り続け、川の水位が上がってきたため引き返すこともできず、次の上陸ポイントまでパドリングをするしかなかった。目標地点まで一・六キロほどのところで私たちは激流にぶつかり、転覆した。流れてきた木の枝が、船から落ちる私の顔の脇をひっかき、耳からピアスをもぎ取った。カヤックまで泳いで戻り、

2 妊娠期を3か月で区切る単位。

川の流れを分かつ中州まで押した。中州の両脇では、普段はさざ波程度の流れが海の波のようになっていて、また落ちて頭を打って流され川底に沈み溺れる自分が想像できた。ようやく皆で川から上がると、なんて自分は馬鹿だったのかという思いでいっぱいで、心強い蹴りを再び感じるまでお腹に手を当てていた。

出血と、急流でカヤックから転落。この二つが、妊娠中にあった大きな出来事だ。毎回トイレに行くたびに出血を恐れていたことを除けば、後はありふれたものだった。二十六週目に赤ちゃんの性別がわかり——女の子で、私たちはとても喜んだ——以前不妊治療を受けていた病院の産前教室に参加した。講師のドゥーラ[3]は、何度も「普通のお産」についてと、陣痛の際にピトシン［陣痛促進剤］やエピドラル［無痛分娩用麻酔］を拒むことの大切さについて話していた。一度、医療の介入したお産を受け入れてしまうと、二度と自分でコントロールできなくなるとのことだった。歩き回ったり、出産用のバランスボールの上にしゃがんだりできなくなるし、教室で練習したエクササイズは何もできなくなるそうだ。

私は、普通のお産という考え方に疎外感を覚えた。自分のコントロールを維持するために医師に対抗しなければならないという考え方だけでなく、妊娠と出産が普通で自然だという考え方にも。「あなたたちの体は、どうすれば良いかわかっています」とも言っていた。普通の病院のお産と普通の自宅出産、そして苦しくなるくらいゆっくりと母親のお腹から胸へとたどりつく新生児——手助けは不要だ——の動画を見せられた。参加者の誰かが、映画の出産シーンにあるようなラマーズ法のやりかたを聞いたら、彼女は鼻で笑い、さっと不愉快なパントマイムをした。

「**息のしかた**がわからない人なんかいる？」

自分の体がやり方をわかっていることを、できない人なんている？

体が何をわかっているというのだろうか。

部屋にいる誰かが脅えている。クリステンとマーラはお互いとポールに説教をしていて、それからわたしは惨め。それから希望。それからまた鈍く抵抗する波。

私は動物になれないと目を離さないクリステンに言う。息子がつかえているのが彼女にはわかる。私にはわからないし、もうやめてしまえと波は言う。しっかりして大丈夫だと彼女は言う。

これは、エレーヌの散文詩の詩集『For Another Writing Back（日本未出版）』に収められた一節で、助産師の支援を受けながら、［NY市ブルックリンの地区］フォートグリーンの自宅アパートメントで息子を出産したことを描いている。一緒に大学院で学んだ数年後に彼女が執筆を始めていた、このはっとしてしまう本が私は大好きで、出産の場面を何度も繰り返し読んでいる。無力感や、痛みといきみで獣じみる瞬間を、激しく徹底的に描写している部分が大好きだ。彼女がこの詩を朗読するのを聞いた際に、生まれる場面まで観客が息を凝らしている様子を見た。**私たちはこれなの？　私に吸いつく息子の口本当にそのままだ。彼はそのままだ。**

十一月二十三日の明け方に自宅で破水して、リチャードと私はすぐに病院に行った。産科病棟のトリアージ室で、陣痛がきて診察台の上に寝そべる私が看護師に最初に聞かれた質問は、子どもが生まれた後に何の避妊法を使うか既に考えたか、だった。「ピル、ですかね」と私は答えた。私は怖くはなかったけれど、産前教室の講師に警告されたように、さまざまなレベルで医学的介入が提案され、それを受け入れるたびに、時間はばらばらの細切れに進んだ。「［勤労の意味もある］陣痛《レイバー》と分娩であって、休憩と分娩じゃありませんから」その朝、陣痛があまり強くないのに私がピトシンを断ると、青二才の男性研修医にそう叱られた。昼前には、退屈な廊下を歩くのに疲れ、医師たちの断固とした主張に心配になり、私は受け入れた。少しだけならピトシン打ちます、という無理な要求をした。看護師は、暴力的でずるいと感じさせるやり方で、どんどん量を増やし、ベッド脇に置かれた点滴の機械に数値を入力していた。火傷や切り傷の痛みを思い出せるようには、ピトシンで促進させた陣痛がどんな感じだったかは思い出せない。金属的な感じがして、まったく歩きたくなくなったのは覚えている。

病院は、ボランティアのドゥーラのプログラムを提供していたので、一人来てもらった。その若い女性が浴槽でしゃがみながら、陣痛の最中にどう呼吸をすればいいかをやっと教えてくれた。その女性は帰らなければいけなかったので、ボランティアプログラムを始めたばかりのドゥーラ二人を呼んでくれた。二人は優しかったけれど、三十分ごとにピトシンの点滴をしにくる看護師にはかなわなかった。

真夜中ごろ、限界がきた。「ドゥーラのお二人、ありがとうございました。やっぱり私エピドラル打ちます」とか、それに似たようなことを言った。私には武勇伝なんか何もなかった。熱い痛みの波や、言葉にならないとか、エレーヌのような体験はしなかった。リチャードは、仮眠を取っていた彼を起こす私の声が、不気味なくらい落ち着いていたことを覚えているそうだ。「いよいよだよ」と、私は言った。「赤ちゃんが出そう」

ピトシンを打っていた看護師が片足を抱え、リチャードがもう片足を抱えた。やはり起き抜けである、カウボーイブーツを履いた医者がさっと手術着を羽織り手袋をはめた。彼女の指示通り、精一杯いきんだ。全然何をしているか感じなかったものの、まるで果敢にいきむことで、自分の痛みへの耐性が低いことを埋め合わせられるかのように。「赤ちゃん受け止めます?」と医師がリチャードに聞いた。リチャードはためらいつつ、はい、と答えた。「待って」と私は言った。でももう一度いきまなければ。赤ちゃんの頭が見えるの?

そして、娘がリチャードの驚いた腕の中にいた。大きな産声をあげ、ピンク色で、油断なさそうで、丸い頬で、青い目で、両手足の指が十本ある、私たちの娘だ。


後になり、詳細を簡略した誕生の話をビアトリスのベビーアルバムに書いて、彼女のために見つけた、すっかりもろくなり色あせた四つ葉のクローバーもいくつか貼り付けた。児童書のような文体(二十六時間に及んだ陣痛は「しばらくかかりました」とか「……」などと書いた)だけれど、もっと大きくなりティーンエイジャーか大人になってから、このアルバムを読むのでないかと今は想像している。本の後ろには、超音波検査の写真が全部はさまれている。胚移植の前の一番初めのものから、血腫ができた後のものまでだ。多くの人が目にするであろう段階よりもずっと前の初期の娘の命のしるしを、私はどう扱えばいいかわからないのだ。おそらく娘にとってはあまり意味を持たないだろう。さっと一瞥をくれるだけかもしれない。

もちろん、両親がどれだけ自分のことを待ち望んでいたか、そしてどれだけ大切に思っているかというのは、娘には伝わるだろう。ただ私は、医師や看護師や胚培養士、そして好意を寄せてくれている人たちなど、どれだけ多くの人たちが娘の誕生に関わり、娘と私たちを応援してくれたかということも娘に伝わればと願っている。可能性や運、長い間母親が没頭していたことについて娘が考えることがあるなら、人生の脆さではなく豊かさに思いを馳せてくれることを、私は願う。

Paying for It

第12章 治療の対価

「マサチューセッツ州の健康保険がなかったらこの子を授かれていないと思う」十二月のある朝、友人のマーガレット・モンティースがSkype越しに言った。五月に出産予定の赤ちゃんの話をしていた。最近、第一トリメスターの終わりの超音波検査で、でんぐり返りをしているのがわかった男の子だ。マーガレットと彼女の夫マシューが今回の妊娠にたどり着くまでに、九度の体外受精治療と七度の流産、そして並外れた忍耐力とセルフアドボカシー[1]を要した。妊娠十六週目のマーガレットは、幸せに巣作りをしていて、[ボストン市内の]ジャマイカプレーンのアパートメントの奥の小さな寝室を、訪ねてくる家族や友人のために客用の寝室に改装したところだった。託児所や保育園も調べていた。睡眠サイクルの本も数冊読んでいた。パソコンの画面の向きを変えて、一八〇〇年代から代々家族で受け継いできたアンティークの手すりがついたベビーベッドが居間の隅にすでに置かれているのを私に見せてくれた。

マーガレットは作家であり中学校の教員でもある。ジョギングとアウトドアが大好きで、実年齢の四十五歳よりも十歳ほど若く見える。私たちは二〇一一年に作家向けの夏のカンファレンスで出会い、本や小説の話をしたりゴシップ話をしたり、ワインを飲んだり、泳ぎに行ったり、義務教育の教員生活と執筆生活をお互いに同情しあったりした。でも、法外に高額な治療なしには私たちは子どもを授かれない、という互いの人生で一番悲しいことについては、一度も話題にのぼらなかった。当時、彼女と写真家で大学教授である彼女の夫はニューヨークに住んでいた。家賃、食費、光熱費、学費ローンの返済に充てる分以外の収入を、必要な治療全部には絶対に適用されない健康保険プランの保険料に充てていた。

マーガレットは妊活を始めたとき三十七歳で、不妊治療専門医を初めて受診したとき三十八歳だった。「妊活を始めるまでは人生で一度も、産婦人科医に問題を指摘されたことはなかったけ

1 支援を必要とする当事者が、自分の権利を擁護するために行う活動を指す。

ど、うまくいかなかった。なので、不妊の可能性は常に意識していたけれど、そこまで心配してなくて、友達の体験からそういうこともあるとしか思っていなかった」と言っていた。「年齢のことも心配はしてなかった。産婦人科医も最初に受診した不妊治療医も心配してなかったし、友人の多くは私よりも年上の母親だったから」

私のように、マーガレットは当初、内服薬や人工授精など値段のそこまで高くない治療を試みた。こうした治療は、体外受精治療と比べてとても効果が低く、ほとんどのクリニックではきちんと実績を追ってすらいない。むしろ医師たちは、その成功率を言うときに当てずっぽうで言っているように見える。「十パーセントとか？　十五パーセントですかね？」マーガレットと彼女の夫に、ボストンで新しい仕事が決まるという幸運な転機が訪れてから、もっと積極的な治療が選択肢になった。この時点で彼女は四十二歳だった。

マーガレット夫婦が最初の治療を受けたニューヨークは、州の住民を対象とするすべての健康保険のプランに、不妊治療費の一部に保険適用させることを義務付けている十五州のうちの一つだ。マーガレットのような人にとっての問題は、「不妊を引き起こす病状であるという場合に限り、治療可能な病状への診断と治療」のみに、この保険適用が義務付けられていることだ。つまり、治療可能な卵管閉塞のある女性や、精子を作る能力に影響する精索静脈瘤のある男性は治療のための手術を受けられるのだ。ただし、手術が最も効果があるか最も早い治療法ではない可能性もあるし、こうした病状は、例えば卵巣内の卵子数の減少や精子数が少ないなどの症状よりも一般的ではない。多くの場合、最も効果が高く、ほとんどの人がお金の工面に苦労をする体外受精治療は、ニューヨーク州の義務付ける保険適用範囲から明確に除外されている。

他の十四州の法が定める保険適用範囲の要件は、地域の多様性をランダムに示す意図で作られた地図を見ているようだった。こちらの州は炭酸飲料をポップと呼びあちらではコークと呼ぶ、みたいな。例えばアーカンソー州では、体外受精治療への保険適用は認められているものの、生涯で最大一万五千ドル分[2]の費用にのみ適用される。メリーランド州の健康保険は体外受精治療も適用範囲だけれど、「患者の卵子」と「その配偶者の精子」を使用する場合のみ、としている。ロードアイランド州の保険会社は、四十歳以下の「健康だと思われる既婚者」のみに最大十万ドル分、保険適用を提供している。ハワイ州は体外受精の治療周期一回分を保険適用範囲としているが、実際にカップルが妊活を試み五年間不妊だった場合に限られる。モンタナ州とウェストバージニア州は、不妊治療への保険適用を義務付けているものの、症状や金額や適用範囲などは

2　一ドル百円換算で百五十万円。

定義されていない。対照的に、イリノイ州は一見すると非常に寛大で、最大六回の採卵まで保険適用を義務付けているものの、さらに詳しく調べると、四回の採卵後に成功した（生児出産を終えた）場合のみ、残りの二回分が利用可能だというのがわかる。

不妊治療に保険適用を試みてきた州でも、誰が取り残されるかはすぐにわかる。マーガレットのように複雑な診断を受けた人や、高額の治療が必要となる人、年齢が高い人、ＬＧＢＴカップル、未婚でパートナーを持つ人々、または一人で妊娠しようと決めた女性だ。「他の州に住んでいて、ここまでの保険を持っていないか、治療費を払うだけの収入がない友人がいる。治療費を払えた友人の多くは、給料の高い仕事に就いているか、支援してくれる裕福な親がいた」とマーガレットは語っていた。「すごくつらい。経済的に十分余裕があるかどうかで、子どもを持つか決まるべきではないと思うから」

二年以上参加したＲＥＳＯＬＶＥのピアサポートグループで、私たちはお金や治療費用について滅多に話さなかった。誰かが、体外受精治療や注射薬に自分の保険が適用されると話題に上げたり、地元クリニックで購入したパッケージプランについて説明したりすることはあったけれど、病院の地下室のテーブルを囲み集まる人々は、体外受精治療の保険適用範囲が州によって異なるように、治療にいくら払っているかという点は皆それぞれ違っていた。それに、個人の経済的な状況と、妊娠し安定した妊娠期を維持できることの関連性はものすごく高く、そして繊細だった。他のどんな要素――年齢、精子の数や質、ホルモン検査で測定される残りの卵子の数など――よりも、治療にかけられる資金が、治療の成果を左右しているように思われた。これは回数の問題だと信じるようになったのは、最も果敢に注射や体外受精治療や人工授精に挑む人が、ついに妊娠しピアサポートグループを抜けていくのを、何度も目の当たりにしたからだ。

　皆が同じ方法で妊娠したわけではなかった。ピアサポートグループの一人は、前の治療周期で残っていた卵胞を刺激する薬剤を夫に黙って打っていた。セックスをしたところ、彼女は双子を妊娠した。別の女性は、体外受精治療や、注射薬の投与と排卵のタイミングに合わせたセックスを何周期も試みたもののうまくいかず、人工授精に戻ったところ娘を授かった。あるカップルは第三者の胚の提供を、別のカップルはドナー卵子の提供を受け、それぞれ無事に妊娠していた。こうした女性たちの何人かに対して、何度も挫折し何度も治療を受けても妊娠できていないのだから、諦めて先へ進んだらどうかと自分が思ったのを覚えている。

　何人かは実際にそうした。体外受精治療を一周期か二周期行った後、資金が底をつき、ピアサポートグループの会合で自分の挫折を思い出してしまうのに耐えられなくなったのだ。けれど、度重なる治療周期にともなうコスト――銀行口座の残高もカードの利用枠も使い切ること、精神的ストレス、仕事を休むこと――を受け入れる余裕のあった人たちは皆妊娠し、一人また一人と、ピアサポートグループに嬉しいニュースを報告していった。家族や友人に言われることの多い、**諦めたらすぐに妊娠するよ**という、浅はかな民間信仰の逆だった。私たちにとっての真実は、どちらかというとこうだ。**挑戦し続けたら**――ほぼ全員にとって高額な提案だけれど――**そうしたら、いずれ上手く行くよ。**

新しく郊外に移った自分たちの通う不妊治療クリニックの一番変わった部分は、もっと綺麗になった待合室や診察室に加えて、支払方法だった。以前は小切手を書くか、ノースカロライナ大学生殖医療センター（UNC Fertility）を通して保険の請求を行っていたものの、今はお金のやりとりはインテグラメッド（IntegraMed）というニッチな外来患者向けの医療施設を経営する企業（ウェブサイトによると、不妊治療クリニックと血管のクリニックでは「大手」だそうだ）を通すようになった。

このことを知っていたので、アイスランドから帰国して数日後、すでにインテグラメッドに二万二百ドルを払っていた。唖然とするくらい高額な銀行為替手形と引き換えに、私たちはコストシェアプランという遠回しな呼び名で知られる奇妙な資金の取り決めについて詳細が書かれた、八ページにわたる契約書を受け取った。契約書によると、私たちが支払ったお金には、三回の体外受精治療と、三回の凍結胚移植を受ける資格が含まれる。この取り決めには薬は適用されないけれど、採卵、受精、胚培養そして胚移植などの最も高額な体外受精治療の項目は、事前に一括で支払われるため、パンフレットでは「妊活に集中できます！」と謳われていた。

インテグラメッドの陽気なメッセージの裏に――彼らの不妊関連サイトは患者に「成功に向けて計画」するよう強く促し、くだけた口調の励ましのブログを載せていた――リチャードはあることに気づいた。保険のオプションがない状態で――私たちの住む州はあいまいな保険適用範囲の条件すら存在しなかった――私たちは丸損を避けようと、健康保険プランというよりクレジットデフォルトスワップのような金融派生商品に近いものを受け入れていたのだ。

クレジットデフォルトスワップの仕組みはこうだ。ある人物が、例えば平均利息率が七％の住宅ローンの共同資金《プール》など、未来の価値が不明な資産を、現在の均一価格で売りたいとする。買い手は、追加の保証を売り手に求めることで自分のリスクを管理する。もし住宅ローンが利息七％とともに戻ってこなかった場合――もし著しい数の住宅購入者が債務不履行に陥り、例えば三％の利息しか払えないとする場合――売り手は、買い手の損失の一部を保証することに同意するのだ。こうした金融派生商品は、住宅ローンのように具体的でも有形でもないことが多く、ただの多額の資金、つまり投機や賭けなのだ。
もし周期ごとに体外受精の治療費を払っていたとしたら、私たちは各周期で一万一千ドル請求されることになっていた。妊娠するまでに、一周期以上かかる可能性があった——実際三周期が必要になるかもしれなかったし、一回目、そして二回目が上手く行かなかった際に取り乱すことは想像に難くなかった。そしてもし三回目、さらには四回目、五回目の周期が上手く行かなかったら？　従来の支払方法では、一部を借りるか定年後のための運用資産を現金化して何万ドルも費やすことになっていただろう。コストシェアプランを利用すれば、もし「赤ちゃんを家に連れて帰る」ことがなかった場合、七十％返金してもらえるため、その資金を養子縁組や里親の費用に充てるつもりでいた。

だから、私たちは自分たちの失敗に賭けていた——一度失敗すると、プランは金銭的に理にかなったものとなる。インテグラメッドは、私たちの成功に賭けていた。私の年齢（プログラム加入時に三十六歳だった）、残りの卵子の数を示すホルモンレベル、そしてリチャードの精子の分析結果を審査し、私の子宮の状態を確認するために3D超音波検査の結果も審査していた。私は健康で、残りの卵子の数からもプログラム加入が認められたものの、署名した契約書には、もし卵巣が採卵できる卵子を十分な数だけ生成できなかったり、胚のグレードが低かったり、体重が急激に増減したり、薬剤でひどい副作用がでたり、医師の指示に従わなかったり、私が三十八歳の誕生日を迎えたりした場合など、「公正な裁量によるいかなる理由においても」インテグラメッドは私の加入を解除し、返金することができると定められていた。

　振り返って見ると、この取引は常に相手に有利になるように歪められていたとすぐにわかる。インテグラメッドは、七十％を返金するという条件で、契約をいつでも解除することができた——彼らには多くのクライアントがいて、契約を打ち切るベストタイミングを検討する際にはおそらく保険数理士の膨大なデータを参考にしているのだろう。ピアサポートグループの友人の一人は、二回目の治療周期後に、自分のインテグラメッドの契約が解除されてしまい、驚き、打ちのめされていた。パンフレットやウェブサイトで謳われているように、少なくとも三回はチャンスがあると思っていたのだ。ただ、彼女も契約内容自体は悪い取引だったとは思ってはいなかった。七十％の資金が返金されるため、別のクリニックでもう一度挑戦することができたのだ。

　リチャードと私は、従来の支払方法で払うよりも高くつくこともあり得るとわかっていた。実際、その可能性を私たちも望んだのだ。必要以上にお金を払うことを望み、追加の周期も新鮮な胚も凍結胚も、私たちの心配が行き過ぎだったのだと証明したかった。このパッケージプランは、費用を管理し、ストレスに対処し、治療計画から未知の要素を取り除く手段の一つだとウェブサイトで宣伝されていた。罪悪感を感じがちで迷信深い自分の頭の片隅で、私自身も、多く払うことで自分が成功するのにもっとふさわしい人間になれるのではと考えたに違いなかった。余分にお金を払うことで、流産や生化学的妊娠［受精後に着床が継続せず、流産をしてしまう］や途中で中止になる治療周期や友人らの受けた腹腔鏡手術など、親になるまでに他の多くの人が払う犠牲とその辛さを経験しないで済むかもしれない、と。

一度目の周期で妊娠した際、私は自分たちの払ったお金について後悔もしなかったし、違う方法を選べば良かったとも思わなかった。体外受精治療を恐がり、予想通り毎晩の注射にうんざりし、悪い結果に心底脅えた後に、私は安心して喜び、二つ目の線がピンクに変わるのをもう一回見たくて、一度ならず三度も妊娠検査薬を使った。出産費用などの他の医療費や、子育てに関連する費用に取っておけたかもしれない九千ドルについては考えなかった。後悔の気持ちは浮かんでこなかった。

実際私は妊娠している間、お金のことを考えるのは感謝が足りなくて、欲張りで、運命の誘惑のように思え、そうすることを拒んだ。今、インテグラメッドと取り交わした資金の取り決めについて振り返ってみると、二つの感情を抱く。自分たちの決断に満足しているけれど、他に全然選択肢が無かったことを残念に思うのだ。さらに、経済的にも精神的にもリスクの高い治療への保険適用が不十分であることを搾取し、どこかで投資家が儲けている、という考えに、心がざわついてしまう。

この決断をしたことへの幸せな気持ちは、もちろん娘を妊娠し出産したことでさらに高まっている——他にどう感じろというのだろう。でも、私は体外受精の体験からすっかり遠くに離れてしまい——これを書いている今も娘は私に向かってハイハイをしている——もっと少ない費用でも妊娠できる見込みがあったことを知っている。

とはいえ、コストシェアプログラムのおかげで私の妊娠期はより安定していたと思うし、だからこそ、それが一番の理由で、もし最初からやり直さなければいけないとしてもまた同じ選択をするだろう。

体外受精治療中の患者は、概して高い確率を望んでいる。できるだけ多くの成熟した卵子を採卵し、それができるだけ多く受精し、複数の胚ができることを望む。胚の数が多ければ、医師は、最も細胞が均等に分割し発育した、一番グレードの高い胚を選ぶことができるのだ。胚培養の三日目に、胚培養士は、六個、七個、八個、もしくは九個に分割した正常な細胞を確認できるのが望ましいとする。

私たちは幸運にも、移植できる胚が複数できた。三日目には十個あり、そのうち七個が五日目に胚盤胞にまで成長した。何年も前に、医師に初めて体外受精治療を勧められた際、リチャードが冗談で「双子で良いですよ！」と言ったのを覚えている。ヤング先生は、患者には一度につき健康な赤ちゃんを一人授かってもらうのがゴールです、ともっともな言い方で注意していたけれど、今となっては私たちも納得していた。早産、低出生体重や、安静の診断が下る可能性が増えるなど、双子に関する健康上のリスクを本で読んでいたし、これを避ける一番の方法は、一つの胚を移植することだと私もわかっていた。

　ヤング先生の患者のうちどれくらいの人数が私たちのようにコストシェアプランを購入しているのかはわからない――クリニックはそうした情報の宣伝や公開をしていない――けれど、成功しなくても経済的な負担が軽減されることがわかっていた（薬の支払は負担するけれど次の胚移植や体外受精治療周期の費用負担はない）ので、大胆にも一つの胚だけ移植する選択ができた。単一胚移植は、体外受精治療への保険適用を義務付けているヨーロッパの国々では一般的な治療法となっている――例えばスウェーデンでは体外受精治療の七十％が、選択による単一胚移植で行われており、体外受精治療で双子を妊娠する割合は五％だ（対照的に、私の通うクリニックでは、私の年代で双子を妊娠する割合は三十％に上る）。

　私たちの担当医のように信頼できる医師は、決まって双子の出産に関するリスクに言及するものの、患者の決断の裏側にある部分を誤解している。Reproductive Medicine Associates of New Jerseyという自分のクリニックのブログで、トーマス・モリナーロ医師は成功を重視する自国の文化を非難し、「アメリカでは皆が消費者で、消費者根性が日々の暮らしに氾濫している」と書いている。

皆が成功と妊娠できる可能性を一番高くすることを望んでいることには疑いの余地がない。しかし、往々にして患者は、治療を受けるために医者に通う患者というよりも、商品を購入する消費者としてしか自分を見ていないことがある。単一胚移植で私が直面する最も大きな障壁は、双子の妊娠のリスクと、成功率が上がる可能性を天秤にかけるテーブルの向こう側に座っているカップルだ。これまで何度も患者が、「成功率が上がるし、これ以上妊娠検査薬の反応が出ないことを考えるだけでも辛いから二つの胚の移植をする方が良い」と言うのを聞いてきた。

モリナーロ医師が働くニュージャージー州は、最も寛大な体外受精治療に関する規定がある州の一つで、保険会社に最大四回まで体外受精治療の採卵費用を支払うことを義務付けている。実際、モリナーロ医師のクリニックは、私と同じ年代の女性の単一胚移植の割合が三十%であることを誇っており、これは全米の平均の三倍で、私のクリニックの六倍だ。でも、モリナーロ医師の及び腰な患者たちは、四回以上周期が必要になる可能性を見越しているのかもしれないし、ニュージャージー州の保険適用義務の免除対象である、中小企業や宗教関係の団体で働いているのかもしれない。

　リチャードと私は体外受精治療の費用を二年かけて貯めていたため、規制のされていない金融派生商品を購入することで、限定的に治療に保険が適用されるプランを持っているかのように振る舞えたので、かかりつけのクリニックで一般的な、リスクの高い決断を下すことから自分たちを守ることができた。胚移植の日、担当医と胚培養士は二つの胚を見せてくれた。一つは彼らが選んだ、胚盤胞が透明帯から孵化しかけている胚で、もう一つは二位の選手で、それを第一候補と一緒に戻すことができた。**チャンスは五分五分ですね。**とヤング先生は言った。**二つ戻せばもう少し確率があがりますけど。**私は病院のガウンと靴下を着けていて、下腹部はまだ数日前の採卵のせいで腫れていて痛かった。私はもらった胚たちの写真を両手に持った。二人で一瞬ためらったものの、自分たちの決断を通した。五週間後、心拍を確認した。

　望み通り、一つだった。

三月、リチャードの両親に中華料理屋で妊娠を告げた。体外受精治療を受けていたことは話していなかったものの、二人は私たちが不妊治療を何年も受けていたことを知っていた。大声で喜び、声に出して祈った後、リチャードのお母さんがまず初めに思いついた質問はこうだった。

「自然な方法にしたの？　それとも、八万ドル払ったの？」

「どっちでもないよ」とリチャードはきっぱり答えた。いくら私たちが払ったかとか、どうやって貯金したとかは伝えることなく、彼は両親に体外受精治療の過程を説明した。

八万ドルが、実際に私たちが払えるとリチャードのお母さんが想像した金額を表していたのか、生殖補助医療の法外な料金を大げさに言うつもりだっただけなのか、私にはわからない。八万ドルというのは、リチャードの家族が最初の家を買う時に払った金額よりも高いし、私の両親が今の家を買った金額よりも高い。それに、もちろん私たちが体外受精治療のパッケージプランや薬に払った金額よりもずっと高かった。それでも、難しい症例ではあり得ない金額ではなかった。マーガレット・モンティースの三年にわたる長旅は、もし彼女が全額自己負担で払っていたとしたら、それ以上の金額になっていただろう（マサチューセッツ州の比較的寛大な保険のプランでも、治療でマーガレットと夫の貯金は底をついた）。多分私の義理の母は、一部のセレブが奇跡の赤ちゃんにどれくらいお金を払ったかという話を聞いたか、マーガレットのような事例を記事で読んだのだろう。

　さらに興味深いのは、義理の母が、そうした高額の費用を私の不自然な妊娠の最も顕著な特徴だと捉えていたところだった。最も不自然で困惑させられる部分が、子宮の外で、ラボで子を授かったことではなく、私たちがそれにお金を払ったという事実だったのだ。

　手術や深刻な治療では、ほとんどの人が気楽に想像できる以上の費用がかかる。自分の母に、父が受けた大手術の値段を聞いた。心臓の冠状動脈三本のバイパス手術と、その後に腹部大動脈瘤を治療する手術を受けている。「百万ドルかな」母は言った。「少なくとも」。保険でほとんど払われていたし、膨大な合計金額も、実際に費用が発生した日の数週間後か数か月後に届く、保険会社が各医療機関に支払った分を記録した一連の請求書に分散されていたため、母は細かい金額は知らなかった。もし二人が健康保険に入っていなかったとしても、支払えるかどうかの判断よりも必要に迫られ、手術は受けられていただろう。父に**自然な方法で生き延びたの？　それとも百万ドル払ったの？**　なんて誰も聞かなかったはずだ。

　体外受精治療は成功率が低く、議論の余地はあるものの治療の目的が命に関わらない、選択的な治療方法だ。しかし、不妊は障がいのように精神的につらい経験であり、障がいの場合、労働者はＡＤＡ〔アメリカ障害者法〕で一定の保護を受けている。治療費をどう工面するかという問いが不妊のストレスに影響しないとは考え難く、むしろ影響が大きすぎるため、本人にそのつもりがなくても当事者の考えを狭めてしまう。私の義母のように代償を考えるのだ。家の頭金を払うか、それとも赤ちゃんを産むのか。クレジットカードの限度額を超えてしまうのではないか。定年後のための資産運用プランを解約するか。第二抵当権でもう一つローンを組むか。

半自伝的小説『10:04』の中で、ベン・ラーナー[3]は、まだ執筆していない小説に「六桁強」の契約金という予期せぬ幸運が舞い込む、詩人から小説家に転向した人物について書いている。この人物もまた、生殖補助医療を親友と共に受けている渦中にいる。ラーナーの小説の主人公は、エージェントとの祝いの夕食の席で、自身が置かれる不確かな状況の影響で、抽象的とも用途が決まっているとも感じる、多額の前金にうろたえる。「実体のない小説を他の出版社を真似て欲しがってくれたから、人工授精と関連費用をまかなえる」と考え、彼は続ける。

「二十七万ドルくらい自分に入るのか。人工授精が五十四回分。[4] ハマーＨ２の４ＷＤが四台分。

3 米国人の作家・詩人。
4 ＮＹ市が舞台の本作品中では、投薬、血液検査、超音波検査を含め人工授精の値段は一回五千ドル（約五十万円）程度という設定。

市場に出回ってる『草の葉』[5]の初版が二冊買えるな」

私の所属するピアサポートグループでは、自分たちの治療の具体的な金額について話さなかったけれど、何人かは時折、取れなかった休暇や買うことのなかった家の前金など、治療を受ける代償になったものについて触れていた。健康保険に加入し続けるためだけに、嫌いな仕事を続けていた人もいた。ラーナーの小説の主人公のように、一時的に入る大金を（それが手に入るくらい運の良い人は）、治療費につぎ込んでいた。人によってはもっと良い保険の法律がある場所に引っ越そうか考えていたけれど、この見込みも、不景気と自分たちのキャリアの需要がさまざまなため、複雑だった。私たちは他州まで出かけ、養子縁組のカンファレンスや治験に参加し、メキシコやヨーロッパへの「体外受精治療旅行」の費用を調べ、安く売られている誰かの余った薬をネットで購入した。皆いつだって割安のものを探し、いつだってお金のことを考えていたけれど、私たちがお金のことしか頭にない人の集まりというわけでなく、そうするしかなかったのだ。

新しい仕事への興奮にすっかり心を奪われて、マーガレットと彼女の夫は、ニューヨークからボストンへの引越しの一番の利点が何かを、ニューヨークでARTを受けていた友人とマーガレットが話すまで気づかなかった。「彼の最初の反応は、『最高じゃない！　マサチューセッツ州は体外受精に保険使えるの？』だった」とマーガレットは言っていた。彼女は調べ、新しい保険会社から約款を受け取るとすぐに、諸々を確認すべく電話をかけた。ニューヨークでは手が出せなかった自己負担費用が、ボストンではなんとかなる程度の一部自己負担になったのだ。「治療ができるってわかって、保険で費用のほとんどをまかなえるってわかって、ものすごく安心した。不妊治療に保険適用されているだけではなくて、ただただ、皆が基本的な健康保険や医療を利用できる州に住めて最高だよ」

それでもマーガレットの治療は易しいものではなかった。長く待ったことにより——ボストンで最初に不妊治療医の診察を受け体外受精治療を始めたときには四十二歳になっていた——医師たちは彼女が流産を繰り返しているのは年齢と卵子の質に関連していると信じていた。ドナー卵子を利用することを強く勧め、マーガレットと彼女の夫もアドバイスに従い、さらに自己負担の費用を払い、待つことになった。そのドナー卵子による治療周期も流産で終わったとき、マーガレットはついに、甲状腺機能と自己免疫の問題がないか調べてくれるよう医師を説得した。医師たちは高額な治験薬を試せるよう調べ、それには保険がなかった場合七千ドルかかる注射薬も含

5 米国人の詩人ウォルト・ホイットマンの詩集。

まれていた（保険は使えた）。この薬と一緒に、以前凍結した胚を用いる治療周期の計画を立てた。

「計画の打ち合わせで、先生が残りの胚って言い続けるから」と彼女は言った。「**私の**胚はどうです？　って言ったの」

マーガレットと夫は、四十二歳のときにボストンで受けた最初の体外受精治療周期から二つの凍結胚を保存していた他に、ドナー卵子による治療周期から複数の胚を保存していた。記録によると、マーガレット自身の卵子を使った治療周期は二十二歳のドナーの卵子を使った周期よりも順調だった。マーガレットの方がより多くの卵子を採卵できたし、その結果できた胚は［細胞の］数も多くグレードも高かった。医師は、ドナー胚を使った周期と通常の体外受精治療でできた胚の比較をすると約束し、実際に、マーガレットの卵子を使った周期の方がより発育が良好であると報告した。彼女の胚は、七細胞期や九細胞期の分割期胚に成長していたが、ドナー卵子を使った分割期胚は、皆四細胞期であった。医師はそれでも懐疑的だった。[6]

「先生には『あなた次第です』って言われたの」そうマーガレットは言いながらも「正直言って、上手く行くと彼が思ってたとは思わない」と続けた。マーガレット夫婦は、マーガレットの卵子でできた胚を複数個移植することを選んだ。暖かな九月の朝に二人はクリニックを訪れ、その夜には友人の本の出版記念パーティーに参加した。二週間の待機期間中、二人はビーチまで散歩をし、夕陽を眺めて、ロブスターを食べた。「ようやく医学的な問題に対処できたように感じてたから、移植の日も待っている間も、自分たちの可能性を慎重ながらも楽観的に考えていた」と語ってくれた。「その日すべてが上手く行ったんだけど、他のときと比べてその日を特別覚えてるってわけじゃないんだ。その時点で、もう何度も移植してたから。何度も体験して、手はずがやっと整ったって本能的に感じていたから、全体的に前ほど不安じゃなかったのを覚えてる」。その月の後半、彼女が一人の子を妊娠していることが確認された。その数週間後、超音波検査でマーガレットは赤ちゃんを見た。「くるっと回ったの！」と言い、「今まで見た中で、一番わくわくして嬉しいものの一つだった」と振り返った。

　マーガレットからこの知らせを聞けたのは、素晴らしい、思いがけず気持ちが明るくなる出来事だった。四十三歳のマーガレットに対し、医師がドナー卵子を使うよう説得した直後の頃、私は彼女に妊娠を知らせるメールをしてから、定期的にメールするのをやめていたのだった。当時

---

6 卵子は、精子と受精した後、分割と呼ばれる受精卵の細胞分裂を繰り返しながら成長していくため、細胞数が多いほど成長が進んでいるという評価になる。一方で、成長が不良な胚は、分割スピードがばらばらで、細胞数が奇数の七細胞や九細胞になる場合もある。

彼女は、［卵子ドナーの］候補者の審査をしたり、弁護士費用や他の煩雑な点に対処したり、熱心に関連手続きを進めていた。マーガレットは私のことを心から喜んで得意がってすらいるようだったけれど、その後彼女に連絡しようかなと思う度に、私はためらった。不妊治療関係の知り合いのほとんどの女性が、お互いに励ましあう――特に難しい症例で長く頑張っていた人が成功するのを見るのは、すごく励みになる――でも、自分の治療がうまくいくまで、子宮内膜症が治るまで、嚢胞を取り除くまで、経済的にも精神的にも再び挑戦できるようになるまで待つ間、他の人が妊娠や出産を迎えるのを見るのは辛い気持ちにもなり得る。妊婦にとっては、九か月は果てしないくらい長く感じるかもしれないけれど、不妊治療をしていると一瞬で過ぎてしまう。**九か月後には、**そう思うのだ。**今頃は妊娠しているはずだったのに。子どもが生まれていると思っていたのに。**

私のピアサポートグループは、妊娠したら最後にもう一度参加し、皆に知らせたら――叫んだり、泣いたり、時にはハグをして――もう二度と参加しないのがしきたりだった。高額な体外受精治療が二度失敗に終わり絶望してグループを去っていった、優しくて面白かった女性を知っている。Facebookで彼女の近況を追えていたけれど、しばらくすると彼女の投稿は消えてしまった。グループの他の友人が理由を教えてくれた。私たちが妊娠していくにつれ、一人ずつつながりから削除していったそうだ。「責めたりしないけど」別の友人は言っていた。「私だって同じことをすると思う」

ただ、マーガレットは違っていた。彼女の状況にはまだ山があって、私が峠を越えた状況になっても、数か月おきにメールをくれた。安静にしていたときには体調について尋ねてくれて、誕生日には祝いの言葉を送ってくれた（私は誕生日を全然覚えられない人間だ）。ひょっとしたら彼女がただそういうタイプの人間ということなのだろう——長期間の孤独な小説の執筆作業に慣れている作家で、他の人の世話をすることに慣れている教師であり、大成功するまでにたくさんの挫折を経験したアーティストなのだから。もしかしたら、ジョギングやウォーキングを数キロ行うなど健康のために気をつけていることや、鍼治療や瞑想が効いているのかもしれない。遺伝かもしれない。

でも私は、マーガレットの平静さや気丈さには、州の保険法によって構造的に保護されていることも、何か関連があるのではないかと思う。マサチューセッツ州の住民ほとんどが健康保険に加入していて、現在の加入率は九十九％と全米で最も高い。そして、保険会社には人工授精、体外受精、顕微授精（ＩＣＳＩ）、ドナー精子、卵子、胚の調達や処理に保険を適用するよう法で義務付けられている。薬の保険適用はその他の病状の薬剤と同じように扱われている。治療周期の回数に制限はなく、費用に限度額もなかった。マーガレットの住まう州の不妊治療患者は、破産や、例えば養子縁組や里親などの他の選択肢の費用が払えなくなることを恐れながら治療を始めることはなく、長期戦にじっくり向き合うつもりで治療を開始できるのだ。おそらく最も重要な点として、他のどんな病状を持つ患者たちと少なくとも保険適用の意味では同じように治療を受けられると知りながら、彼らは治療を始められる。

バーバラ・コルーラは、ＲＥＳＯＬＶＥの理事長でありＣＥＯで、より良い保険の規制を求める戦略を立てて提唱活動を十年以上しているけれど、こんな言葉で語っている。「資金の問題が頭の上にのしかかっていなければ、患者は健康にとってより良い判断を下すことができる」

この言葉は私たち夫婦にも当てはまったものの、私たちが良い判断を下すために払った金額は、多くの人にとっては払える金額ではないかもしれない。それに、経済的な試練は私たちの頭の上になかったとしても、位置がずれて頭の脇とか、肩だの足元だの他の大事な体の部分にのしかかっていた。インテグラメッドやその投資家は私たちの賭けからお金を儲けていたけれど、その賭けが、私が四十一週目に元気な赤ちゃんを産めたことの一因となったというのを今も信じている。

それでも、もし私たち皆が資格を喪失することのない健康保険と、治療が上手く行かなくても続ける能力があったなら、ピアサポートグループはどんな感じだったのだろうと考える。もっと私たちはオープンだったろうか？　そこまで怖がったり不安になったり、涙もろくもなかっただろうか？　皆成功率の高い治療に移れるので、もっと早くグループの人数も減っていっただろうか？　経済的不安がなかったら、ピアサポートグループ自体に私は参加していただろうか？

　マーガレットは不妊だった八年の間、ピアサポートグループには参加しなかったものの、別のことを考えるそうだ。「もし男性が子どもを産む立場だったら？　その場合でもこうして治療費を払うのかなあ」

　二〇一二年に行った不妊治療クリニックの広告に関する調査で、法学の教授であるジム・ホーキンスは、米国内の九十％の体外受精治療クリニックの成功率を報告する任意団体である生殖補助医療協会［SART］に掲載されている三百七十二件のクリニックのウェブサイトについて検証した。ホーキンスはクリニックが、生殖医療の実用的な部分よりも感情的な部分を強調していることを発見した。クリニックの七十九％がホームページに赤ちゃんの写真を載せており、三十％のクリニックはサイト上に**夢**という言葉を使っていて、八・八七％が**奇跡**という言葉を使っていた。ホーキンスは「価格は通常、消費者活動の中で最も重要な要素の一つ」にもかかわらず、体外受精治療の費用を何らかの形で載せているクリニックは二十七％のみだと報告した。患者と値段のことを話さなければいけないことに多くの医師が嫌悪感をもっていることや、治療費の予想がしがたいこと、患者が値段には左右されないだろうという推測など、考えられ得る理由をいくつも提示し、「クリニックは現在の価格情報を掲載するのを明確に拒否しており、金額から患者の注意を逸らそうとしている」と結論づけた。

ホーキンスは明言してはいないけれど、クリニックはまた、狭いターゲット層を想定しているのではないかと私は思う。具体的には教育を受けていて年齢が高く、白人で中流階級の上の方の女性などだ。不妊は男性にも女性にも同じだけ影響するとわかっているものの（三十％の不妊の症例は男性不妊に起因しており、もう三十％が女性に起因し、残りの四十％がその両方または不明）、女性がクリニックを調べ、初回の診察予約を取る傾向にある。もしかしたらクリニック自体は、体外受精治療を非常に不確かな消費者活動などと考えることに興味がない、幻想や感情に突き動かされた女性たちや、フォーカスがぼかしてある母と子の写真に心を動かされる女性たちに対してマーケティングをしているのだと想像しているのかもしれない（そうした考えとは反対に、ピアサポートグループにいた完璧なビジネスファッションを着た四十代くらいの女性が、見込みのなさそうな複数の胚に直面し「補欠と試合するんだ」と軽い感じで言っていたのを私は覚えている）。

不妊症患者のステレオタイプはそれ自体が幻想なのだ。不妊は、女性と同じだけ男性の問題にもなり得るばかりではなく、少数派の人や、貧困層、そして、そこまで教育を受けていない人に影響する可能性が高いのだ。ＳＡＲＴは、より正確で透明性のある広告を促すガイドラインを策定していたものの、会員があまりそれに準拠していないことをホーキンスは発見した。クリニックは治療費や成功率を隠していただけでなく、より白人患者にマーケティングを集中させる傾向があった。九十七％以上のクリニックがウェブサイトに白人の赤ちゃんの写真を載せており、六十二％が白人の赤ちゃんの写真だけを載せていた。ホーキンスは、偏った広告が白人の患者を惹きつける一方で少数派の人を遠ざけている可能性があると推測した。さらに気がかりなことに、ホーキンスは「クリニックが白人の患者を呼び込むために、意図的に赤ちゃんの人種を利用している可能性があり、これは、不妊治療は人種差別的規範を強化すると主張している、一部の学者の告発に確証を与えている」と指摘している。

そして、医師たち自身も誤解を抱きがちだ。二〇一〇年に行われた、医師の不妊に対する認識の調査によると、主要なリスク要因を理解している医師はとても少なかった——アフリカ系米国人が最も不妊のリスクが高いと正しく回答したのは、アンケートに回答した十六％の医師だけだったし、高校卒業資格を持たない女性が高等教育機関を卒業している女性よりも不妊の傾向があることを把握していた医師は、さらに少ない割合の十三％に留まった。それればかりか、アンケートに回答した医師の認識は、映画やテレビに体外受精治療の広告などで馴染みのある、生殖医療の患者のステレオタイプと一致する傾向にあった。不妊治療の科学的な研究ですら、この限られた人口層に集中しがちだ。

　米国内において、八組のうち一組のカップルが不妊の影響を受けるけれど、その半数しか治療を受けていない。そしてその治療を受ける人たちは、白人で、年齢が高く、裕福で、教育を受けているという傾向がある。保険適用で皆が金銭的に利用しやすくなれば、この統計の内訳は幅広くなり得るのだ。二〇一三年にカナダで、ケベック州が体外受精治療の保険適用を義務付けた後に行われた調査は、経済的な障壁を取り除くことで、社会経済的および人種の多様性が向上したことを示している。しかし米国内では、この主張に相反するさまざまな研究が、費用だけが障壁ではないことを示唆している。例えば、マサチューセッツ州の保険適用の法律は、マーガレットが息子を授かることを可能にしたけれど、少数派や低所得者層や教育を受けていない患者は、そうした州でもやはり数が少ない。法規制ができた後にマサチューセッツ州で体外受精治療を受けた女性を対象にした調査によると、八十五％の調査対象者が少なくとも大学を卒業しており、高校卒業資格を持たない人は一人もいなかった。

障壁によってはもっと微妙な含みを持つものがある。もしかしたらあなたの保険はメディケイド［低所得者層向けの公的医療保険］で、医師はあなたが必要な治療費を払えないだろうと考えて、専門医を紹介してくれないのかもしれない。もしかしたら、あなたは医師に相談しづらいと感じているのかもしれない――医師と話す言葉が違っていたり、医師がくれる治療に関する資料を読めなかったりしたら？　あるいは、予防治療で医者にかかる習慣がないのかもしれない。紹介状をもらえたとしても、不妊治療クリニックは他の理由で利用しづらいことも考えられる――家から遠すぎたり、不便な診療時間だったり、ウェブサイトには金額が書かれておらず、自分の見た目と似ていない人や、自分の思い描く赤ちゃんとは似ていない赤ちゃんの写真だけが載っているのかもしれない。

「医学は門番の機能を果たす」と社会学者のアン・V・ベルは不平等な［医療への］アクセスについての研究の中で書いている。すでに治療を受けている女性に研究の焦点を当て、不妊症を抱えて暮らす多様な女性たちが日常的に体験していることを無視することで、医学界は人種差別的かつ階級差別的な規範と「誰が母になるべきで、なるべきではないかを決定する」危険性を強化しているとベルは主張する。

ベルは生殖補助医療の台頭と、それに続く不妊への医療介入が、子どものいない状態をさらに社会から逸脱したものにし、親になる他の選択肢を好ましくないものにしたと論じている。調査の一環として、ベルは一年以上妊娠を試みている社会経済的地位が低いミシガン州在住の女性たち二十七名に聞き取りをした。女性たちは体外受精治療に対する複数の障壁やアプローチについて語っており、それはハードルがもっと楽に取り除かれた私にとっても馴染みがあるものだった。保険は適用されず、日中病院を受診するにも仕事をほとんど休めない状態で、車を売ったり、他の州に引っ越したり、症状を受け入れようとしたり、いつでも計画を立て、戦略を練り直していた。けれどこうした戦略も決断も自分たちで考え出したものだった——多くの人は、医者が母親になるのを助ける気があるとは一度も感じたことがない、と述べていた。民間療法に頼り、妊婦のお腹を験担ぎでなでたり、願いごとをしたりする人もいた。

> （友達の）赤ちゃんを初めて抱っこしたとき……私は——ただただめろめろになって、思ったんです。「私も欲しい、私も欲しい」って。星に願いごとをするみたいな感じでした。

構造的にも草の根レベルでも、こうした障壁を壊そうと取り組んでいる人たちがいる。RESOLVEは、無料のピアサポートグループを始めたい人たちに向けて研修を行っており、今では四十六州とワシントンD.C.に二百以上のグループが存在する。不妊症や妊活中の女性向けのインターネット上のコミュニティは多数あり、それらは温かくインクルーシブだ。Fertility for Colored Girls［有色人種の女性向けの不妊症支援団体］やThe Broken Brown Egg［当事者ブログなどの運営サイト］などの他の団体は、少数派コミュニティにおける不妊について関心を高めるために、オンラインと対面のイベントを実施している。こうした団体は、治療や他の資料を探せて、悲しみや焦りを表せる安全な支えとなる場所の提供を支援している。

「私はただ、自分が誰かに言って欲しかったことを全部伝えたり指摘したりしようとしているんです」とレジーナ・タウンセンドは言う。彼女は、シカゴ周辺で若者へのアウトリーチ活動を行う司書であり、特にアフリカ系米国人のコミュニティで不妊という病気があまりに語られないという問題を指摘する方法として、The Broken Brown Eggを始めたライターでもある。彼女の投稿には、深く個人的な不妊や養子縁組の手続きや、里親支援に関する自身の体験談や、ユーモアをもってくだけた言葉で書かれたターゲット［米国の大型総合ディスカウントスーパー］の赤ちゃん用品売り場を生き延びた経験談、健康や生殖に関する活動の真面目で有益な情報などがある。そして、彼女の旅はまだ終わっていない。彼女たち夫婦が二〇一五年に体外受精治療を開始した一方で、レジーナはブログを運営し、さまざまな媒体で六年にわたり不妊について継続して執筆している。

「よく辞めたくなりますし、そういう気持ちに入ると書かなくなるんですけどね」と彼女は言っていた。「でも、その考えも振り払って前に進むのは、私の意見や、『わかるよ、あなたの存在に気づいているよ、一人じゃないよ』という言葉を必要としている人がいるからです」

まだ存在しないコミュニティを作ることは、活動家たちの共通の動機だけれど、怒りもまた同じだ。キャンディス・トリンキエリは、米国の議員と会い、生殖医療や家族を増やすことに影響する法律について話しあう機会であるRESOLVEのアドボカシーデイに初めて参加するため、九回目の体外受精治療周期の最中に、ロサンゼルスからワシントンD.C.を訪れた。「超むかついてました」と彼女は振り返る。「怒りを人にぶつけたかった。怒りって、持ちやすい感情ですよね」

キャンディス夫婦の長きにわたる生殖医療の旅は、人種によって複雑なものとなっていた。キャンディスはアフリカ系米国人で彼女の夫はイタリア系米国人なのだけれど、ドナー卵子を勧められた際に、自分と夫に似ている子どもを望む場合は選択肢が限られていることを知り、キャンディスは驚いた。何百人ものドナー候補が掲載されたウェブサイトをいくつも見たところ、白人やアジア人のドナーは十分存在するのにアフリカ系米国人は一握りしか存在しなかった、とキャンディスは言う。彼女の所属するRESOLVEのピアサポートグループで、この落胆や、最終的に「褐色の肌色《ブラウン》」か複数の人種ルーツを持つ人の卵子に決めようと思ったことを話そうとしたところ、ほとんどが白人だった他の参加者たちは、キャンディスの体験談を聞きたがらなかったそうだ。

「有色人種の人って、たいていの場合人種について話すのに慣れてるんですよ。そうやって日々暮らしてますから。でも有色人種ではない人だと、人種の話に身構えることもありますね」と説明してくれた。「自分に対して否定的な気持ちが一挙に集まるのを感じました。皆『なんで肌の色なんて気にするの？』って知りたがってました」

キャンディスはそのピアサポートグループからは離れたものの、ＲＥＳＯＬＶＥへの参加を完全にやめてしまうことはなかった。二〇一三年には、より良い法整備や保護を訴えるだけでなく、ピアサポートグループや生殖医療のクリニックでは人数が少ない、多様なコミュニティに支援の手を伸ばし広げる必要性に目を向けてもらうことを望んで、彼女はＲＥＳＯＬＶＥに戻り、初めてのアドボカシーデイに参加した。

「待合室で見かける人は皆白人。資料を見ても、目にするのは全員白人です」彼女は言う。「ものすごく疎外感を感じます」

さらに彼女は、自身のイベント企画やＮＰＯ育成などの仕事の経験を活かして、ＲＥＳＯＬＶＥのアドボカシーデイの政策副議長となった。ロビー活動を初めて行うボランティアがもっと事前準備をできるような取り組みを始めた。キャンディス夫婦は南カリフォルニアのＲＥＳＯＬＶＥ

によるWalk of Hope［募金を集めるウォーキングイベント］で二万ドル以上の寄付を集め、イベントを一都市から三都市での開催にまで広げた。友人と共に、彼女は新しいRESOLVEのピアサポートグループもロサンゼルスで立ち上げており、これは誰でも参加できるものの、不妊と向き合う際に「さらに多くのスティグマ」に直面し、体験を共有できる安全で自分を歓迎してくれる場所を探すのに苦労をする、有色人種の人々を対象にしている。

その後、キャンディスは夫と一緒に養子縁組を行い、母となった。二人と血のつながりのあるように見える男の子の赤ちゃんだ。彼女の養子縁組は、あらゆる不妊症カップルの理想に近いものだ――生みの母親は妊娠十四週目で二人を選び、キャンディスが超音波検査に同行することや、キャンディス夫婦が出産に立ち会うことを許した。「彼女がいきんでいる間、私が片足を押さえました」そう彼女は振り返る。「へその緒も切らせてもらったんです」

キャンディス個人の闘いが、彼女をより優れた、生殖に関する平等な権利を訴える活動家にした。「他の誰にも私と同じ苦労をさせたくないんです」と彼女は言う。だから彼女は旅をし、自身の体験について人前で話し、不妊症のカップルや個人に影響を与える法律を調べている。二〇一四年と二〇一五年には、彼女は高所得の家庭だけでなくすべての養親家庭に税控除を提供するAdoption Tax Credit Refundability Actと、Women Veterans and Other Health Care Improvements Act

という、重傷を負った女性退役軍人に体外受精治療やその他の生殖補助医療の保険適用を拡大する法律に特に働きかけを行った。キャンディスは、不妊は選択によるものではなく、一部の人だけでなく様々なバックグラウンドを持つ多くの人に影響を与えるもので、人を傷つけるけれど治療が可能な病気なのだということを人々が理解することを望んでいる。「毎回アドボカシーデイに参加するたびに、**八組に一組**ってどういう意味かわかるか皆に聞くんですけど」不妊を経験するカップルの割合を挙げながら彼女は言った。「**八組に一組**って、知り合いの誰かってことなんです。そして、もしかしたらその人たちは治療を受けられていないかもしれません。頭を使わなくても、この病気に保険を適用すべきってわかるはずです」

二〇一四年にFacebook社とApple社は、保険の適用範囲を制限ではなく拡大したことで、大きく批判を浴びた。両社は、従業員と被保険者である配偶者の卵子凍結および保存の費用に保険を適用すると発表した。これは、Appleのプレスリリースによると女性が「人生で最高の仕事ができるよう」にとのことだった。一部の人は、この保険適用は威圧的で、女性に出産・育児とキャリアのどちらかを選ぶことを強いていると主張した。こうした批判をする人々は、女性が少なくともある程度のキャリアレベルに達するまで、子を産む「自然な」タイミングを選ぶことを恐れるのではないかと懸念し、両社がワークライフバランスを提供する方が女性や家族にとって有益なのではないかと主張した。医療倫理学者たちは、卵子凍結がかつては実験的とされ、抗がん剤治療を受ける予定の女性に主に推奨されていたもので、成功するかは凍結時の卵子の質次第であり、その質も年齢とともに低下するため、それを行った女性が自分の選んだ時期に子どもが産めることを保証するわけではないと警告した。

優秀な社員が出産を遅らせることで企業にとって利益があるのは確かだし、ワークライフバランスも重要な目標であるものの、世界で最も知識も特権も持っていてパワフルな女性たちの心配をするのは、おこがましいように感じる。けれど、このニュースが十月に報じられてから二週間もの間、私が目にする新聞記事や雑誌すべてで、このニュースが取り上げられ、コメントが寄せられていた。**騙されるな！**　と見出しに書かれていた。**卵子凍結は女性のためではなく企業のためだ！**

生殖補助医療の恩恵を受けた多くの女性たちのように、私もこうしたメディアの報道を気がかりに感じた。第一に、プランBファミリーを築くことは、ますます一般的な状況となっていることを無視しているように見えたし、医療の問題とすることで妊娠の体験をおとしめると、報道は示唆していた。『ニューヨーカー』誌のライターであるレベッカ・ミードが、同紙のウェブサイト向けに記事を書いた際、試験管と液体窒素が満ちた保存タンクの写真の下に、「従業員の福利厚生として卵子凍結を含めることは、Facebook社やApple社のような企業が存在するテクノユートピア的幻想への参加だ――正しいアルゴリズムさえ見つけられたら、あらゆる問題には解決策があり、あらゆる問いには答えがあり、すべての需要に対応できるという確信にもとづいている」とコメントしている。企業の方針を、オルダス・ハクスリー〔英国人作家〕の『すばらしい新世界』という小説の中の、女性たちが「社会の利益のため、そしてもちろん六か月分の給与にも相当するボーナスがあるので」まだ排卵をしている卵巣の摘出手術を受けることに従う、という威圧的でディストピアのような雰囲気と比べていたライターもいた。一部の記事は、二社が、福利厚生として卵子凍結に保険適用をするというよりも、女性が卵子凍結**するように**お金を出していると報じていた。ほとんどの記事が**最大二万ドル**と金額に言及し、多くの人がお金と生殖を関連づける際に感じる不快感をさらに強調していた。

　娘を出産してから七週間後、私はある大学で文芸の客員講師として新しい仕事に就いた。その仕事は期限付きだったものの、その後別の大学で一年間の客員を務め、ようやく常勤の内定をもらった。素晴らしい同僚や聡明な院生や学部生たちと働けて、義務教育課程の教員でいるよりも執筆に多くの時間を割くことができて、いろんな意味で夢のような仕事だ。

この仕事の福利厚生は、ここ何年間かの仕事の中でも一番良いもので、八週間の有給の産休と、出産をすると在職期間がさらに伸びることが保証されていた。だからと言って今が、とか今から一年後が家族を増やすのを考える良いタイミングだという意味ではない。胚を凍結保存しておくために四半期ごとに支払いをしているし、時々支払いを忘れたとか、誤って解凍されてしまう悪夢を見たりもする。もしかしたらリチャードと私は二人目の子を迎えないという決断をするかもしれないけれど、今すぐにその決断をしないでいられること、その間キャリアと家族のことに集中できることをありがたく思う。もし私たちの凍結胚がテクノユートピアの一部だとするなら、それは力をくれるものだと私は信じている。

私は幸運だ。卵子凍結費用に加えて、十四週間から二十二週間の有給の産休をもらい、体外受精治療、養子縁組、代理母の費用に保険が適用されるFacebook社やApple社の正社員も同じように幸運だ。同じくらい幸運と言えないのが、アン・ベルの研究に登場するような全米の他のほぼすべての企業で働く女性たちで、金銭面でも保険の面でもリソースが足りないことに加えて、彼女たちの不妊に対して医師に関心を持ってもらうことに苦労している。「ほとんどの医師が、妊娠を諦めるよう説得しようとします」とある女性は説明している。

Apple社とFacebook社の発表が招いた人々の関心で、おそらく最もわかりやすく問題なのは、裕福で学歴のある女性が最も不妊や子どものいないリスクにさらされ、貧しい女性はとても妊娠しやすく、十代や二十代のうちから子どもを次々産んでいるという、ステレオタイプを強化している点だ。こうしたステレオタイプすべてが、本来ならば個人的な選択に対する批判やコメントを招いている。

それに、その選択肢は利用《アクセス》しやすいものであるべきだ。二〇一二年に医療保険制度改革法〔PPACA〕が連邦最高裁で支持された際、私は父に「医療改革まだめちゃ大事（Health Reform Still a BFD）」と黒地に白い文字で書かれたXLのTシャツをあげた。このTシャツは二〇一〇年に、ジョー・バイデンが大統領に向かってPPACA法案を通すことが「めちゃくちゃ大事（a big fucking deal）」と言っているのが、生放送のマイクで拾われたことが元ネタとなっている。この法律は私の家族にとっても、そして保険に未加入であるか適用範囲の限られた保険に加入していた何百万人という人々にようやく医療保険制度を手の届くものにしようとしている国にとっても、実際「めちゃくちゃ大事」なものだった。私の両親にとってPPACAは、父が〔高額な〕心臓手術を受けたことや、医師がいない郡に住むことを理由に保険の適用を失わずに済むことを意味した。病院からの請求書のせいで医療費が払えず破産しなくて済むことを意味した。

母は、このTシャツをよく借りて——小柄な母の体では、ワンピースになってしまう——バージニア州のキングアンドクイーン郡で催される民主党の資金集めの集会に参加したり、前よりも処方せん薬が安くなった地元の薬局に時々出かけたりする。時には［オバマ元大統領の反対派の］ティーパーティーの人からオバマケアに対する文句をブツブツ言われるそうだけれど、段々支持する人が増えている。医療を受けることは権利であり、特権ではないという考え方に人々も慣れてきているのだ。

　医療を受けることが私たちが求むべき権利であるならば、リプロダクティブヘルスのための医療も同じだ。リプロダクティブヘルスとは、病気にかかっていない状態だけでなく、いつ（どうやって）子どもを何人産むか、それとも産まないかを選択する能力だ。私は、マーガレットと、バーバラと、レジーナと、キャンディスとともにある。マークとレイチェルとも、ゲイブとトッドとも、そしてネイトとパルルとウィリスとも。

　待つことは人生の一部で、最後にたどり着く人生に対して感謝や驚きをもたらしてくれるだろう。でも、永遠に待つ必要なんてない。

Epilogue

第13章 エピローグ

ノースカロライナ動物園のゴリラ、ジャマニが二〇一一年に授かった子の母として過ごした時間は短かった。話題となった出産は、悲しいことに、人間が新生児に名付ける間もなく終わってしまった。何か問題があり、赤ちゃんが死んでしまったのだ。ジャマニの飼育員は、ジャマニの観覧を中止し、彼女が喪失を受け入れて落ち着くまで、赤ちゃんを抱いていられるようにした。ジャマニは、ンコジやアカシアなど群れの他のゴリラが赤ちゃんに近づくことを許さず、一日中、息子を抱き毛づくろいをし、動くよう刺激を与えたり授乳を試みたりしていた。やがて、彼女は赤ちゃんを置き、立ち去った。

この死産のことを聞いたときに、以前私がピアサポートグループで、何をしてもどうせ苦しむだけ、と惨めな気持ちで主張したことを思った。グループも行き詰まっている時期で、毎月、体外受精が失敗に終わった話や、予期せぬ手術や医師とのコミュニケーションで悩んでいるなどの話が続いていた。私たちが治療を通して、健康上、経済上そして幸福に関するリスクを取っていることや、成功したところで長く憧れた人生にはならない可能性があると私は語った。誰も私を否定しなかった——皆、優しすぎたからかもしれないし、的を射ていると思ったからかもしれない。

でも、ジャマニの話には続きがあった。一年もしないうちに再び妊娠したのだ。今度は新しい居住区の仲間のオリンピアという、ンコジとの繁殖許可が出ていたボス的存在の十六歳も一緒だった。超音波検査で正常妊娠であることがわかり、二頭のゴリラの予定日は数週間違いだった。

「公表はしませんでした」と、頭数が増減する園のゴリラたちを十年近く世話していたアーロン・ジェスーは言った。「ジャマニが初めて妊娠したとき、とても興奮しましたが、何か問題が起きたらどう反応すればいいのでしょう」

ゴリラたちの今後の繁殖計画を立てるのはジェスーの重要な仕事の一部で、その一環として、頻繁に他の動物園と電話会議を行い、種の保存計画と協議し、全米各地で開催されるカンファレンスに参加している。園内のオスメス混合グループの中で、唯一のシルバーバック[1]であるオスのンコジとの繁殖許可が種の保存計画から出ていないメスのゴリラたちには、ピルが投与された。

二〇一二年の八月四日、ジャマニは元気な男の子を産み、飼育員はボマサと名付けた。オリンピアも一か月経たないうちにアポロという男の子を産んだ。どこの動物園でも、飼育下のゴリラが一頭妊娠・出産するだけでも珍しいのに、二頭がこれほど近い期間に無事出産し、元気な子が二頭も同じグループに加わるのは、ほぼ前代未聞だった。動物園の控えめな発表にもかかわらず、TwitterやFacebook、そして電話やEメールで話題になり、八月後半には、飼育員は約八千平米の居住区に反して小さな観覧エリアの混雑を避けるために、何百人も集まった来園客を列に並ばせなければならなかった。実際に足を運べない人は、アポロとボマサのベビーアルバムをオンラインで見るか、動物園がFacebookページに投稿した短い動画にコメントを寄せることができた。

「すごかったですね」と、まさに子どもの頃に憧れた仕事に就いた、稀なタイプの人であるジェスーは言った。彼は園唯一のシルバーバックであるンコジを一番近しく感じていた。堂々とした大人のオスゴリラが彼がゴリラ飼育員に憧れた理由だったけれど、人々がなぜ暑いノースカロ

1 背の毛が白くなった長齢のオスのゴリラ。

ライナの夏の終わりに行列を作ってまで、母親にくっつく小さな赤ちゃんたちを見たがるのか理解していた。「皆赤ちゃんが好きなんですね。赤ちゃんを見て、自分や自分の家族を重ねるんでしょう」

　私は生まれたての赤ちゃんを見には行かなかったけれど、ジャマニの成功は、私の出産に関する未来と幸運にとっても幸先が良い知らせだ、と自分勝手でばかばかしいけれど思ったのを覚えている。ジャマニの最初の出産と喪失を追い、それについて寄稿をしてからたった一年後に、彼女のベビーアルバムをオンラインで見ていたのだ。一枚の写真がとりわけ私を惹きつけた——ジャマニが自分の大きなあごを、ボマサの頭の上に守るように乗せているクローズアップの写真だった。ボマサの大きな目は、ちいさなハート型の顔の中で輝いていて、ジャマニは、まるで息子のすべて——赤ちゃんの匂いや、産毛、体の重み——にうっとりするかのように、夢見るように上の方を見つめていた。私は他のウェブサイトをいくつか開き、体外受精治療の成功率を計算してくれるデータベースに自分に関係する数字（年齢、妊活年数、治療の失敗回数）を打ち込んだ。データベースによっては、二十七％だったり二十四％だったりした。もしかしたら、いつかこれも私にとっての思い出になるのだろう。

ノースカロライナ動物園の来園客がおそらく知らず、新聞にも報道されなかったのは、二頭目の赤ちゃんゴリラが生まれて数日後、飼育員ですら誰も見ていないときに起きた出来事だ。出産前後の群れの優位者オリンピアが、ある晩ジャマニの生後三週間の息子ボマサを誘拐し、世話をし始めたのだ。自分の生まれたばかりの子と一緒に授乳し、胸に抱き、危険から守った。体格はオリンピアよりも大きいものの、三頭のメスの中で一番群れでの順位が低いジャマニは、悲しみの鳴き声をあげ、ぐるぐる回り、居住区の端から端まで走った。一年前にジャマニが死産した子をあやす様子を見ていた飼育員たちは苦悶しながら、ジャマニがボマサを取り返すのを待ったけれど、ジャマニはオリンピアの方に向かって気乗りしなそうに攻撃と威嚇をするのがやっとだった。

　乳児の誘拐は、霊長類の中で珍しいことではなく、赤ちゃんは色んな理由で盗まれる。自分の遺伝子を残すために邪魔を取り除く方法としての子殺しや、社会的地位を上げるためだったり、子育ての経験を積むためだったり、時には、ただ赤ちゃんに強く関心があるだけだったりもする。オリンピアには、ボマサの誕生によって脅かされていない元気な乳児がいたし、群れでの順位も一番上だった。ゴリラは思慮深く、一般的に四年ほど間隔をあけて出産するのに、なぜ彼女は二頭目の赤ちゃんを迎えて、わざわざ仕事を増やしたのだろうか?

オリンピアとジャマニが若い時期を過ごした動物園との電話で、ジェスーと同僚は、二頭のゴリラは若い頃見た母親たちの行動に影響を受けているのだと判断した。オリンピアはアトランタ動物園で、双子の母と一緒に暮らしていたので、二頭の赤ちゃんが理想的なのだと考えたに違いなかった。ジャマニが育てられたサンディエゴでは、赤ちゃんを共同で育てるのは普通だったし許されていた。二頭とも自分が見たことのある行動パターン、遺伝子ではなく飼育下での限られた母親像や家族生活の思い出が染みついたイメージを体現していたのだ。**これが大人のゴリラがすること**、二頭の赤ちゃんを胸に抱き、居住区を歩き回りながらそんな風に考えるオリンピアの様子を想像することができる。**もちろん息子を返してくれるはず**、ボマサのための母乳で痛々しく乳房を腫らしながら、そう考えるジャマニも思い浮かべることができる。**それが母ゴリラのすることだから**。

五日間にわたり見守った後、ゴリラの飼育員たちは、これが限界だと判断した。ついに、オリンピアに鎮静剤を打ち、ボマサをジャマニに返した。ボマサと離れている間、飼育員たちが骨身を惜しまずジャマニの搾乳を人間用の搾乳機で行っていた（搾乳を受け入れることも、母になる際の訓練の一環だった）のでジャマニは授乳することができたし、息子が戻ってきたことに対して、何も起きなかったかのような反応をした。

「素晴らしいお母さんですよ」ジャマニの息子への辛抱強さや優しくしつけるところを褒めながら、ジェスーはそう言った。私たちは居住区の観覧エリアのそばに立っていて、そのときには二歳になっていたボマサとアポロが、背の高い草の上で取っ組み合いや追いかけっこをしていた。「オリンピアも素晴らしいお母さんですよ」と、オリンピアがかなり放任であることも認めつつも、ジェスーは付け加えた。

　アポロとボマサが生まれてから色んなことが起きたので、ジェスーはこの群れの繁殖の歴史を考えると胸がいっぱいになると正直に語っていた。「ジェットコースターみたいでした」と彼は言う。二〇一二年には、三頭目のメスであるアカシアがンコジとの繁殖を認められ、ジャマニとオリンピアのようにアカシアもすぐに妊娠した。しかし他の二頭とは違い、アカシアの出産は二十四時間以上にも及ぶ難産となり、飼育員と園の獣医は、緊急の帝王切開手術を行うことを決断した。手術は成功し、新生児も元気だった――「一番可愛くて強い子でした」と他の飼育員が言っていた――それにもかかわらず、アカシアの元に返された後に突然死んでしまったのだ。飼育員たちは二年ぶりに再び、新米の母親が喪失を受け入れるのを、どうすることもできずに見守った。その年の後半、ンコジが脳炎で急に死んでしまった。

　飼育員からは親しみを込めてニックと呼ばれていたンコジの死について考えるのは、ジェスーにとって辛いことだった。辛抱強く優しい父親で、ゴリラの父親として想定される以上に赤ちゃんの世話に参加していた。

私は、アカシアがどうなるかジェスーに尋ねた。彼女もまた、誰に聞いても良い世話役だったし、頻繁にボマサとアポロと遊ぶものの、赤ちゃん泥棒もする優位者のオリンピアにはほとんど近寄ることはなかった。飼育員は、幼いオス二頭のロールモデルになるような別のシルバーバックを群れに迎えることを予定していた。アカシアもまた妊娠するのだろうか？

それはない、とジェスーは言った。危険すぎたのだ。園は、アカシアを他の動物園――彼女にとって三つ目となる動物園だ――に移す予定で、そこで、仮母という母親のような世話役や、他の母親が自分の子を拒否した場合に代理母の役目を果たせるのでは、と期待していた。**皆さんの想像以上によくあることなんです**。お昼の給餌を手伝いに去って行く前に、ジェスーはそう言っていた。

私はその場に残りアカシアに特に注意を払いながら見ていた。彼女は、ガラスのそばの藁の山の中でくつろぎ、種を食べながら、優位者で繁殖に成功したオリンピアの方にも注意を向けているようだった。そのオリンピアは、給餌の時間に投げられたセロリやレタスの残りを探していた。

小さな人だかり――生徒たちや家族連れ――が観覧エリアに張り付いていた。訂正してくれるジェスーがいなかったので、来園客の何人かは、ボマサが走り回るなか、居住区の端の方に姿を現したジャマニをンコジと間違えていた。「ほら、お父さんだよ。見える？」「あなたにそっくり」と、四歳か五歳くらいの子どもに大人が言うのを何度か見かけた。「いつも何かに夢中で」

人が集まっては、離れ、また集まっていった。

「ゴリラって、絶対私たちがゴリラそっくりだと思ってるでしょ」七歳か八歳くらいの女の子が言った。「自分たちが、ゴリラって呼ばれてるのも知らないんだよね」

自分自身の物語を、もっと公に開かれた物語に重ねるのは簡単だし、魅力的だ。私たちは、自分たちの苦労や体験や性格を動物園のゴリラや、映画や本の登場人物に映し出す。私はアカシアを見つめ、不妊だった自分の痕跡を見つける。もし、なれさえすれば良い母親になるであろう、ひっそりと居る部外者だ。『赤ちゃん泥棒』を観直しては、微笑みきゃっきゃと声をあげる赤ちゃんがいると、皆が優しくなる様子に気づいたりもする。ネイサン・ジュニアを身代金目当てで（さらに！）誘拐する脱獄囚たちも、赤ちゃんをあやすためにおもちゃを盗んでいる。物質主義で気難しいネイサン・アリゾナも、息子が戻って安堵し、ハイとエドの二人を許す。自己投影の誘惑に対して、私たちの複雑な人生は、擬人化したゴリラやハリウッド映画の強盗みたいに単純ではないと警告がなされる。

　ゴリラは私たちが何て呼んでいるかなど知らない。それは本当だ。アカシアやジャマニやオリンピアを観ていて、ほとんど人間を気にも留めていないような気がした。それよりも、彼女たちは目の前のゴリラ的な物事に集中している。**次のレタスはどこに投げられるか？　レタスを探す間、どれくらい遠くまで赤ちゃんをうろうろさせても平気か？**　その瞬間を生き、過ぎた時間や、そこにないものを気にしていない。彼女らの胸の内はわからないけれど、満足そうに見える。

　それでも人間の心には、自分の意思で過去や未来へ旅することができる美しい部分がある。『赤ちゃん泥棒』の終盤で、ハイとエドはネイサン・アリゾナに、自分たちは別れるつもりで、カップルとして続けて行くにはお互い自分勝手で非現実的すぎることに気づいた、と告白する。ぶっきらぼうなネイサンは、「せめて一晩だけでも」寝かせて考えろと伝え、映画は包帯を巻いたハイの寝顔と夢のシーンで終わる。ハイは夢の中の自分が「精神が浮き上がり、やがて起きることを見に行くのだ」と説明し、幼いネイサン・ジュニアが「匿名を希望する優しいカップル」から贈られた、フットボールのクリスマスプレゼントを開ける様子と、その後大学の試合で勝利のタッチダウンを決める様子を見ている。その後、ハイは何年ももっと先の未来も見る。にこにこした子どもや孫たちが年老いたカップルを訪ねてくる様子で、一家全員、壁にウッドパネルをあしらったダイニングルームで、沢山の料理が際限なく載せられた食卓を囲んでいる。「ただの願望だったのか？　ありがちな現実逃避をしていただけだったのか？」とハイは自問する。「リアルで、自分たちみたいだった。それに……自分の家みたいだった」観客には年老いたカップルの顔は見えないけれど、二人の目に映るものは見える。格好の良い大人になった子どもたちや、晴れ着を着てお行儀良く振る舞う孫たち。**おかえり**と書かれた部屋の飾りも見える。

　未来を想像することは、現実から逃避するだけでなく、現実を手に入れようと努力する方法でもある。慰めでもあり、贈り物でもあり、幸運な偶然ではなく努力によって実現させたいすべてのことの後ろにある力だ。より良い仕事、寄稿の掲載、本の出版、快適な定年後の生活、二人家族、三人家族、または四人家族。「挑戦し続けなきゃ」とネイサン・ジュニアはハイとエドに言う。「医学が君らに追いつくのを願うんだ」そして、もし上手く行かなくてもお互いがいるじゃないか、と続ける。

　挑戦し続けなさい。受け入れなさい。この二つのメッセージをどう調和させればいいのだろう？　どうすればこの二つを同時にできるのだろう？　受け入れきることもできず積極的に挑戦もせず、これらの問いを私が長いこと考えている間、回りの人はもっと懸命に挑戦していた。ネイトとパルルの息子へとたどり着くまでの長い旅。マーガレットの壮大な治療の物語。キャンディスとレジーナのインクルージョンの活動[2]とメッセージ。ラモス博士の、望みをかけた患者たちに代わりイノベーションを起こす決意。

私が妊娠したときには、新たなセミの大群が発生しようとしていた。十七年の周期ゼミで、私が初めてARTを受けて不成功に終わっていた頃に常に鳴き声が付いて回っていたあの十三年の周期ゼミよりも、もっと数が多く騒がしくなると予想されていた。報道では、年次集団Ⅱと呼ばれるこれらのセミは、人間の六百倍の数になり得ると伝えていた。

ところが、二〇一三年の大発生は、少なくとも私の住むところでは不発だった——うねるような鳴き声もなければ、森に抜け殻の絨毯をつくることもなかった。発生が予測されていた五月には、私は心配だった第一トリメスターを過ぎ、定期的に森と川沿いを散歩していた。セミの鳴き声を聞き、とりとめのないことを考えた。過去のことでは、おびただしいセミに圧倒された前回の大発生ではなく、ずっと昔に私が小学生のとき、バージニア州で年次集団が発生したときのことを思い出した。一か月ほどの間、私が弟と午後を過ごしていた湖へ行くまでのすべての道に抜け殻が散らかっていた。私たちは大事にそれを拾い集めて、まるで湖のほとりの木の幹みたいにすっかり覆われるまで、影のようなその抜け殻を自分の服にくっつけた。セミの抜け殻を潰さないように集める方法を最初に教えてくれたのは母だった。

そして、ハイのように私は未来を思った。ある日——もしかしたら九年後、十三年の周期ゼミが再び発生するとき——自分の子と体験しているのを想像することができた。でも想像力には限界があって、私の思い描いた想像は平坦で、音もしなかった。想像している自分と、想像上の自分との間に距離があった。

私にとって、たまたま体外受精治療を通して授かることになった自分の子どもを産み育てるということは、自分の心が思い描いていた以上に魔法みたいだった。

娘が生まれる前に知らなくて良かった。耐えられなかったと思う。

娘が生まれた数か月後、リスクを取る度胸がすっかりついて、リチャードと私は寝室が一つだった我が家の増築を始めた。私はよく、あたたかくてゴリラみたいに胸と胸を密着させるスリングにくるまれたビアトリスと一緒に、施工業者と家の前の私道で会った。そして業者は、娘の頭のてっぺんしか見えないのに、きれいだね、良い子だね、と几帳面に褒めてくれた。

「もし世界中で、たった一人しか赤ちゃんがいなかったとするでしょ」と、家の基礎工事を依頼

2 仕組みやコミュニティから取り残される人がいないようにする改善を促す運動。

した石屋のチークさんは始めた。私の胸で眠っているビアトリスを、まるで彼女が想像上のたった一人の赤ちゃんであるかのように指差した。「その赤ちゃんがどこにいても、皆、仕事を置いて見に行くでしょうね。もしその赤ちゃんがカリフォルニアにいるなら、皆カリフォルニアまで行きますよ」

　父であり祖父でもあるチークさんは、私たちがビアトリスを長いこと待っていたことを何も知らなかった。それに彼が言いたいのはそういうことではなかった。すべての赤ちゃんは、親のところにだけではなく、彼女を取り囲む世界に生まれてくるのだという、もっと大きくてもっと深いことをチークさんは知っていた。ご近所さんや友人たちや先生や居住区の群れの中に。前科者や仮母やいとこやお祖母ちゃんのところに。赤ちゃんを一目見たがり、影響をもたらす皆のところに。

　睡眠不足でぼんやりしながら、自分とリチャードとビー［ビアトリスの愛称］が太平洋を臨む崖のうえの居住区のような場所にいて、祝いにきてくれた好奇心旺盛な人々が砂漠まで長い列をなす様子を思い浮かべた。彼女を授かるまでどれだけの時間がかかり、どれだけ多くの人がその過程に関わってくれたかと思うと、そのイメージは奇妙にしっくりきた。今となっては私には、なんらかの医療介入、人工授精、体外受精や投薬周期を介したり、ドナー卵子や胚や、ピルや注射薬の助けを得たりして、子どもを産んだ友人がたくさんいる。この仲間の中では、子どもを奇跡と呼ぶことも、自分の体験を唯一無二のものとして捉えることも、授かれないことも大いにあり得たと考えることも、よくある話だ。でも、これは地球上のすべての赤ちゃん、すべての恋人たち、すべての関係に当てはまる。私たちは皆、リスクや恐れや運、予想通りやってくる渇望、もしくは一部の人にとっては自分の中にあることも知らなかった深くて途方もない井戸から湧いてくる渇望から、並々ならぬ恩恵を受けているのだ。

　チークさんは、私が同意するのを確かめるように、同じ言葉を繰り返した。

「きっと仰る通りです」私は言った。「私も、行きます」

謝辞

これらのエッセイを、時には様々な形で最初に掲載してくれた各誌にとても感謝しています。「待つことの技術」と「ベビーフィーバー」の初出は環境専門誌『Orion』でした（その後「待つことの技術」は『Harper's』と『二〇一三年ウィリアム・ヘイズリット賞受賞作品集』に再掲載されました）。「想像上の子どもたち」は文芸誌『Ecotone』に、「目に見える命」はウェブマガジン『Slate』に、そして「この家一軒分」は雑誌『Sun』にそれぞれ掲載されました。

　担当編集者のケイティ・ダブリンスキーの多大なる忍耐力と知恵に、エージェントのマリア・マッシーの励ましと支えに、広報のマイケル・ティケンスの才能と献身に、そしてグレイウルフ・プレスの素晴らしい皆さん、特にフィオナ・マクレー、マリサ・アトキンソン、エリン・カートキ、そしてキャロライン・ニッツにありがとう。グレイウルフ刊行の他の書籍と並び、自分の本を出版してもらえることをとても幸運に感じています。

この本の執筆中に資金援助を提供してくれたノースカロライナ・アーツ・カウンシルならびに全米芸術基金と、出版ツアーの援助をしてくれたダラム・アーツ・カウンシルに感謝します。また、執筆する拠点を与えてくれた教育機関に感謝します――レノアライン大学は臨時の客員講師の職を与えてくれ、ノースカロライナ州立大学（ＮＣＳＵ）は、さらに長期の職で採用してくれ、そこで現在も私は教鞭を執っています。刺激をくれるたくさんの学生と聡明な同僚たち、とりわけレノアライン大学のランド・ブランデスとＮＣＳＵのウィルトン・バーンハート、ジル・マコークル、ジョン・ケッセル、キャット・ウォーレン、そしてドリアン・ローに感謝します。

原稿執筆を助けてくれ励ましてくれた友達や作家仲間たち、メーガン・マルホランド、ジョン・モーゼズ、クリスタ・ブレマー、ダンカン・マレル、ダン・コイス、アンドリュー・パーク、ジョナサン・ファーマー、ケイティ・クリスチャンセン、エミリー・Ｌ・スミス、アナ・リナ・フィリップス、ハンナ・フライズ、アンドリュー・ブレックマン、ミシェル・ラティオレイ、マーガレット・ザモス＝モンティース、ソフィー・ショウ、コートニー・フィッツパトリック、ジョン・レイリー、デイビッド・ポトーティ、そしてバヌ・バヤダレスにもありがとう。ビーの出産後、教職と執筆の両立を可能にしてくれた世話役の皆さん、特に、ボタンズ・ボグス、ローラ・デニング、ソフィー・ショウ、カエラ・セルフそしてシルヴィア・グラントにもありがとう。

それから、この本のために取材を受けてくださった沢山の方々にありがとう。皆さんの寛大さ、思慮深さ、平静さ、そして洞察力にとても感謝しています。辛抱強く質問に答え、原稿を確認してくださった科学者、医師、研究者の皆さん、とりわけレズリー・ディグビー、アンナ・ロトキルヒ、アーロン・ジェスー、マーニ・ロスナー、スティーブン・ヤング、シルヴィア・ラモスに感謝します。ヤング先生とラモス博士はこの本だけでなく、私の人生も助けてくださりありがとう。そして重要な支援、情報、そして長く続く友情をくれたRESOLVEに。

私たちの人生の一部をここに書き記すことを許してくれた家族、とりわけ、果てしなく協力的な両親、ボタンズとテリー・ボグスに感謝します。

そしていつも一番で最高の読者であるリチャード・アレンに。何度も原稿を読み、議論し、調査を手伝ってくれてありがとう。この本はあなたなしでは存在し得ません。

そして、今まで出会った中で最高の人物であるビアトリスに。

訳者あとがき

本書は、著者ベル・ボグスが体外受精治療を経て子どもを迎える体験が中心として描かれています。そして、養子縁組で家族を迎えた人、代理母出産を検討するゲイのカップル、子どもを迎えないことを選んだ人など、著者が治療に踏み切る決断をするなかで出会った、さまざまな人物の声が取り上げられています。こうした沢山の人のまっすぐなナラティブに、翻訳中は何度も励まされました。ブロガーであるレジーナの言葉にあるように、まさに「わかるよ、あなたの存在に気づいているよ、一人じゃないよ」と言われているようでした。ボグス自身も、おそらく取材を重ねて、いろいろな人の勇気に触発され、自分の体験を綴ったのではないでしょうか。私は、個人が体験を物語ること、ナラティブの力を信じています。誰も、誰かの痛みや苦しみを代わりに背負うことはできないし、最後には自分の人生の決断は自分で下さなければいけないものかもしれない。けれど、誰かと同じような体験を分かち合えることは、幾度となく私に勇気を与えてきました。

私のＰＣの中に、The Art of Waiting というフォルダがあります。そこには、翻訳原稿のワード文書から、クラウドファンディングの活動報告として投稿した文章、そして最初に出版社に企画を持ち込むときに作ったシノプシスまで入っています。シノプシスには、原著のあらすじや作者の紹介、なぜこの本を売りたいか、なぜ売れると思うかなどが書かれているのですが、そのシノプシスの作成日は二〇一八年となっています。そこからちょうど三年経ち、この本が出版されることになったのです。元々作者ベル・ボグスの小説のファンであった私は、二〇一六年に原著が出版されるとすぐに読んでいました。それなのに、なぜ二〇一八年から動き始めたのでしょうか。

二〇一八年当時、私は三十四歳でした。結婚二年目で、フリーランスとしてもまだ駆け出し、そのうえ当時の元夫も個人事業主だったため、夫婦二人だけの生活も安定しないなか、子どもを産むことは怖すぎてまだ考えられませんでした。それでも事情を知らない人たちに「子どもはまだ？」「産んじゃえば何とかなるって」など、悪気はなくとも傷つく言葉をかけられることがありました。そんな中、ＬＧＢＴＱ＋の人々と、子どもを産めないことを「生産性」という言葉で結びつけた議員の発言が報じられました。それを目にしたとき、本当に涙が出るくらい怒りを覚えました。私のように、ヘテロセクシュアルであり肉体的には子どもを産めるかもしれないけれど経済的な理由で産めない人もいれば、性的志向や出生時の性と自認する性が異なることが理由でパートナーと自分の両方と血の繋がった子どもを迎えられない人もいる。それに対してまっとうな政策を提供しないどころか、その存在をないことにするなんて、おかしくない？　そう感じたのです。この本の社会的意義は、初めて読んだときから頭では理解していたものの、この出来事までは、ボグスの不妊治療の体験は私にとってはどこか「他人ごと」でした。でも、このときに初めて「自分ごと」になったのです。そして、高額な不妊治療への保険適用や、ＬＧＢＴＱ＋の人たちが、生殖補助医療や特別養子縁組などを利用するために必要な第一歩である同性婚に向けての法改正、経済的な理由などを含む社会的不妊への認知などを進めるには、まず第一歩として、まだ語りづらいリプロダクティブヘルス／ライツ（性と生殖に関する健康と権利）についてオープンに議論しやすい環境づくりが必要だと考えました。

そしてそれには、個人の体験談、ナラティブを広く共有していくことが大切であり、私は翻訳者としてボグスの体験を広く伝えたいと強く思ったのです。

　そして、この本は二〇二〇年にクラウドファンディングを実施し、皆さんのおかげで出版が叶いましたが、ここに至るまでの三年間、いろんな形で勇気を奮い立たせることの連続でした。シノプシスを苦戦して書いたり、それを出版社に持ち込んだり断られたり、サウザンブックスの古賀さんに初対面で体当たり相談をしたり、「うまくいけば著者に会えるかも」と、二〇一九年には出版見本市の時期にあわせてＮＹに行って、まぐれで本当に著者に会うことを果たしたり、クラウドファンディング中は自分でもびっくりするくらい発信を続けて、この情報を知らない人に届ける活動をしたり。この三年でこの十年分くらいの勇気を使い果たしたように思いましたが、もしかしたら勇気は使うともっと育っていくものなのかもしれません。新型コロナウィルスが感染拡大する中、宣伝はほぼオンラインの活動のみに限られましたが、発信を通して、不妊治療当事者である方々、子どもを迎えない人生を選んだ方々、特別養子縁組の当事者、同性婚訴訟の原告、ゲイカップルなど様々な方とＳＮＳを通して知り合うことができました。皆さんがそれぞれ自分らしく幸せになれる道を求め生きている姿を拝見し、この本を読むことで勇気が出る人がいるはずだという思いを、ますます強くしました。そして、その思いがここまでずっと私を動かし続けています。

　あらためて、この本の出版を可能にしてくださった皆さん、クラウドファンディングをご支援くださった皆様に心から感謝いたします。期間中、不妊治療やＬＧＢＴＱ＋家族についてなどの取材や、ご支援の形でご協力くださった、一般社団法人fairの松岡宗嗣さん、オンラインメディア『ＵＭＵ』の西部沙緒里さん、一般社団法人こどまっぷの皆様、株式会社ジネコの皆様、ＮＰＯ法人Fineならびに理事長の松本亜樹子さん、日本財団子どもたちに家庭をプロジェクトの皆様に心から感謝いたします。また、この本の製作に惜しみなく力を注いでくださった編集の大塚玲子さん、デザインのatelier yamaguchiのお二人、医学用語監修を快く引き受けてくださった胚培養士の川口優太郎さんに心から感謝します。また、表紙に使われているクローバーのイラストをお送りくださった皆様もありがとうございます。そしてシノプシスを作っていた頃から励まし、惜しみないアドバイスをくれた友人たちと家族も本当にどうもありがとう。

そしてまた、原著には米国内の支援団体リストや膨大な参考文献も記載されています。これら付属資料は、日本の読者向けには（http://thousandsofbooks.jp/wp-content/uploads/2021/03/THEARTOFWAITING.pdf）にてウェブページで公開しています。さらに他の資料も読み込みたい、米国内の支援団体の取り組みをもっと知りたいと思った方は是非ご活用ください。また、本書では、ＬＧＢＴというＱ＋のない表記が使われていますが、原著が出版された時期も考慮し、原文通りの表記を採用しています。

こうして、あとがきを書いてる今日、札幌地方裁判所が日本で初めて同性婚を認めないことを違憲とする判決を下しました。不妊治療への保険適用を検討する動きもますます大きくなっています。これも、権利のために最前線で運動をしている皆さんが自分のナラティブを公に共有してくださった賜物だと思います。この本がきっかけで、産むこと、産まないこと、産めないこと、子どもを迎えることなどのリプロダクティブヘルス／ライツについて、皆さんが身近な誰かと自分のナラティブを共有するきっかけになれば、翻訳者としてこれ以上嬉しい事はありません。

石渡悠起子

✽著者

Belle Boggs（ベル・ボグス）

米国バージニア州出身の作家。『Orion』、『Harper's』、『The Atlantic』、『The Paris Review』などの米国内外の幅広い媒体に作品を発表している。短編小説集『Mattaponi Queen』は、バージニア州のマタポナイ川流域を舞台にした連作小説で、ベイクレス賞や、バージニア文芸賞を受賞した。本作『子どもを迎える物語　生殖、不妊治療、親になる選択』は、『Kirkus』『Publishers Weekly』『The Globe and Mail』『BuzzFeed』『O, the Oprah Magazine』でベスト・ブック・オブ・ジ・イヤーに選出された。また、他にも小説『The Gulf』を発表している。現在、ノースカロライナ州ホー川のほとりに家族と住み、ノースカロライナ州立大学の英文学科の教授として、修士プログラムの指導にもあたっている。

✽訳者

石渡悠起子（いしわた ゆきこ）

翻訳者。音楽家。NY市立大学クイーンズカレッジ音楽学部卒業。フリーランスで企業翻訳を提供するなか、Zen101という名義で詩の朗読と歌を融合させた電子音楽の制作と演奏を続けている。本著が書籍翻訳第1作目となる。

子どもを迎えるまでの物語

生殖、不妊治療、親になる選択

2021年6月16日第1版第1刷発行

著者　ベル・ボグス
訳者　石渡悠起子
発行者　古賀一孝
発行　株式会社サウザンブックス社
〒151-0053 東京都渋谷区代々木2-23-1
http://thousandsofbooks.jp

デザイン・DTP　atelier yamaguchi（山口桂子、山口吉郎）
編集　大塚玲子
用語監修　川口優太郎
印刷・製本　シナノ印刷株式会社

Special Thanks　石渡潤、南部遼、Tatsuya Ohno、米澤智子
佐藤健、エンパワテック ソサエティー株式会社

落丁・乱丁本は交換いたします。

978-4-909125-27-9　C0098